KB178123

응언의 사랑

머리말

주로 젊은날의 사랑과 이별, 기억과 회한에 관한 이야기들이다.
'사랑'이라는 감정 속에는 인간보편의 삶과 관계의 속성이 녹아
있다. 그래서 연애 이야기라는 프레임 속에 삶을 압축해 보고자
하였다.

비록 사랑 때문에 방황하고 좌절해도 우리는 사랑을 통해 성숙
하고 삶과 사회의 일원이 되어간다. 그래서 비록 고달프고 때로
는 자신을 갉아먹는 사랑이라는 감정을 완전히 배제하고 살수
없는지도 모른다.

표제 <옹언의 사랑>은 여기 수록작에서 따왔다.

책은 가독성을 중시해 짧고 구어체로 쓰여졌다.

저자 박순영 씀.

지은이

박순영

tv단막극 <어느 흐린날의 사랑>외 다수 집필,

라디오 집필 다수

소설집 <엑셀>

카카오 브런치스토리 작가

1인출판 <로맹> 대표

한국외국어대학교 영어과 졸업

성균관대학교 일반대학원 문화학 석사 (비교문화전공)

jill99@daum.net

차례

<로마에서 온 남자>

10년이란 세월이 흘렀음에도 분명 그라는 확신이 든다. 영주는 인파를 헤치고 그에게 달려가 그의 팔을 붙든다.
"혹시 예전에 로마에서"라고 묻자 그, 황기수가 긴장하는 눈치다 그러더니 "예 로마에서"라고 답을 하였다.
순간 영주의 얼굴이 환하게 빛이 난다.
"그때 친구랑 갔었는데...<바위>호텔에 묵었던"이라고 하자 그가 금세 기억해낸다."아, 대학졸업 여행차 왔다던"한다.
"그때 같이 왔던 친구분 성함이"
"은희요. 장은희. 저는 이영주"
"맞아요 맞아요"라며 그가 무척이나 반기는 기색이다. 둘은 어디 가서 차라도 마시자면 인근 까페로 향한다.

"로마 생활 접고 여기 와서 작게 여행사 차려서 지금까지..."라며 그간의 삶을 그가 간략히 요약해준다.
"그때 제가 귀국해서 메일 드렸었는데"라고 영주가 말하자 "아 네...답장을 몇번이나 썼는데...그때 가이드와 손님은 일 외의 관계는 맺어서는 안된다는 조항이 있어서.."라며 그가 미안해 한다.
"그랬군요.."라며 영주는 로마에서 사흘간의 시간과 로마를 떠나
올 때의 아쉬움을 곱씹는다.
"지금도 <바위 호텔>이 있는지 궁금해요"라고 그녀가 말하자 "
아직 있어요"라며 그가 싱긋 웃는다.
그리고는 "언제 한번 그때 왔던 친구분이랑 같이 식사 한번 해
요"라고 한다.

그렇게 기수와 헤어져 곧바로 방송국으로 간 그녀는 작가실에서
도 내내 그의 생각뿐이다. 친구 은희와 거의 충동적으로 결정한
유럽투어였고 처음엔 프랑스나 영국에 대한 로망이 컸었다. 그
런데 파리나 런던을 가득 메운 여행객에 질려 그만 돌아갈까 할
즈음 로마에 닿았고 거기서 가이드 기수를 만났다. 그는 한국에
서 대학을 휴학하고 잠시 아르바이트 삼아 이곳에 와있다고 했
고 그녀들보다 한두살 위쯤으로 보이는 젊은 가이드였다. 그는
짧은 기간임에도 이탈리아어를 유창하게 구사하였고 바티칸을
돌아볼때는 '소매치기가 많으니 배낭은 앞으로 매라'는 조언까
지 해주었다.
그렇게 돌아본 로마...
옛 제국주의 잔재들이 산재해있어 쓸쓸한 느낌을 주면서도 로마

는 유럽 다른 도시와는 확연히 다른 위엄과 매력을 지니고 있었다. 도시 한가운데를 흐르던 음울한 테베강과 줄지어 늘어선 올리브나무들, 그리고 사흘내내 맑았던 날씨까지...

자유투어 시간에 영주네는 기수를 붙들고 로마에 대해 이것저것 물어보았다. 시시콜콜한 그의 개인사까지..그는 졸업후 '작은 여행사'를 차리고 싶다는 포부를 밝혔다.

그리고는 10년후 한국에서 재회한 그는 정말 그때의 바람대로 여행사 오너가 돼있었다.

라디오녹화를 마치고 귀가한 영주가 은희에게 전화를 걸어 낮에 길에서 그를 보았노라 얘기를 한다. 그러자 은희는 잠시 뜸을 들이더니 '우리 기억하디?'라며 물어온다.

"응"이라고 영주가 자신있게 대답하면서 "언제 셋이 저녁 먹자고 했어"라는 말까지 덧붙인다. 그리고는 그가 지금은 여행사 오너라는 말도 한다...

로마를 거쳐 피렌체, 베네치아까지 다 둘러보았지만 단연코 제1은 로마였다고 그녀는 귀국후에 당당히 친구들에게 자랑을 하였다. 그만큼 그녀에게 로마는 꿈의 도시, 그야말로 '영원의 도시'였던 것이다..

은희와 전화를 끊는 동시에 띵동 문자 알람이 울린다. 기수였다. 영주의 가슴이 콩닥거린다..반가웠다고. 기억해줘서 고맙다고...

"그 사람 여전히 똑같아"라는 영주의 말에 은희는 이제 돌쟁이 딸을 얼르며"뭐가 똑같아 우리가 이만큼 늙었는데"라며 한심하다는 표정을 짓는다. 영주는 아이의 볼을 토닥여준다. 그러자 아이는 까르르 웃는다.

"너도 빨리 시집가"라며 은희가 '남편 그늘' 운운하며 영주를 부추긴다.

"그럴까?"라고 답하는 영주의 상상은 어느새 기수와 나란히 팔짱을 끼고 결혼행진을 하고 있는 자신에게로 치닫는다. 여기저기서 플래시가 터진다...

"오늘 저녁 시간되세요?"라는 기수의 문자를 받은 건 그로부터 1주일 후였다. 연휴가 껴서 사흘치 원고를 정신없이 써대던 영주는 시간이 나지 않음에도 "물론이죠"라고 답을 했다. 그리고는 그야말로 눈썹이 휘날리듯 원고를 마무리했다. 시간이 없다...이번 기회를 놓치면 그를 다시 볼 수 없을지 모른다는 생각에 그녀의 가슴은 널을 뛴다.

"내가 거길 왜 나가? 너나 나가서 잘해"라며 은희가 전화너머에서 영주 혼자 기수를 만나라고 한다.

"뭘 잘해. 그냥 저녁 먹는건데"라고 영주가 말하자 "기집애. 니가 그 남자 좋아한 거 내가 몰라?"라며 그녀가 웃는다.

영주는 시간이 없어 다급히 화장을 하고 옷장에서 플란넬 원피스를 꺼낸다. 큼직한 플라워 문양이 그려져있다. 그러고보니 긴 긴 겨울이 다 갔다.

그녀는 이어링을 하고 그 원피스를 입고 뒷지퍼를 올리려는데 손이 올라가질 않는다. 그러자 기수가 뒤에서 옷지퍼를 올려주는게 상상된다 .결혼해야지...청혼하리라 마음먹는다.

귀국해서도 내내 그의 생각에 밤잠을 설치던 때가 스쳐간다. 그리고는 마침 집앞에 서있던 빈택시를 집어타고 그와 약속한 대학로 이탈리안 레스토랑으로 향한다.

"봄이네요 옷을 보니"라며 먼저 와있던 그가 활짝 웃으며 그녀를 맞는다.

봄이라는 소리에 나른해진 그녀가 역시 나른하게 자리에 살포시 앉자 그가 로마에서의 그 다정하고 따스했던 눈길을 보낸다. 순간, 그녀의 시선이 그의 왼손 약지에 끼워진 반지로 향한다. 아차...10년이란 시간이 흘렀으면 이 사람의 신상에 변화가 있을수 있다는 생각을 못했구나...사랑이란게 이토록 무모한 것이구나,하면서 그녀의 얼굴이 창백해진다.

그런 그녀의 마음을 간파했는지 기수가 "돌아가신 엄마가 주신 반지예요"라고 설명해준다. 그소리에 "아"하며 영주는 마음을 놓는다. 그렇다면 아직 싱글이라는 얘기리라...

기수는 배가 고팠는지 금세 자기 몫의 음식을 먹어치운다. 괜찮으시면 ,이라며 영주가 슬쩍 그에게 자기 음식을 덜어준다. 그걸 마다 않고 기수는 잘도 먹어댄다...얘기해야지 그리웠다고...

"은희씨는 잘 지내죠?"

그말에 영주는 "그럼요. 애도 있고 잘 살아요 . 남편, 변호사"라며 괜히 자기가 으스댄다.

"그렇군요"라며 기수가 고개를 끄덕인다..

"실은"이라며 무언가 말을 하려던 그가 입을 꾹 다물어버린다. 그리고는 디저트로 커피와 티라미수 케익이 나올때까지도 침묵한다...뭘까?

디저트 커피를 반쯤 마신뒤에야 그는 주머니에서 뒤적뒤적 보석 케이스를 꺼내 영주에게 내민다. 뭐죠? 하며 영주가 그 상자를 열어본다. 그 안에는 'roma'라고 각인된 반지 하나가 들어있다.

"고마워요"

"좋아할거 같아서"라고 말한다.

"그럼요"라며 그녀가 왼손 약지에 반지를 끼우려는데

"잘 산다니 다행이군요"

"그럼요 잘 "하는데 영주는 뭔가 뒤틀린 느낌을 받는다.

"은희씨한테 여러번 메일을 보냈는데.."라는 말에 영주는 가슴이 철렁 내려앉는다.

"자기는 결혼할 사람이 있다고"

"가이드는 손님하고 일 외에는"

"규정은 그랬는데 너무나 보고싶어서..."라며 그가 말끝을 흐린다

"다시 보면 꼭 주고 싶어서 여태 갖고 있었어요"라며 그가 조금 전 영주에게 건넨 반지를 바라본다. 순간 영주는 그때까지 먹은 게 한꺼번에 체하는 느낌이다.

기수가 한사코 자기 차로 집까지 바래다 준다는걸 영주는 기어 코 사양을 하고 빈택시를 잡아 탄다. 그러나 어디로 가야 할지 알 수가 없다....그러고 있자 기사가 물어온다. "아줌마, 어디로 가요?"라고.

아줌마,라는 호칭에 그녀가 움찔한다. 내가 그렇게 보이나? 한껏 멋을 부리고 나왔는데...

"마포 가주세요"라고 하자 그제서야 기사는 차를 출발시킨다..

그렇게 도착한 은희의 아파트 앞에서 영주는 전화를 건다. 올라 오지 뭔 전화?라며 은희가 여리여리한 베이지색 카디건을 걸치 고 건물안에서 나온다.

"들어가자"라며 은희가 영주의 팔을 잡아 끈다.

"아니...줄게 있어서"라며 영주는 기수가 준 반지케이스를 건넨다

"이게 뭐야?"하고 그걸 열어본 은희의 얼굴이 금세 굳어진다. "나한테 주라든?"

"아니...우리 둘 다한데...영원의 도시잖아 로마는. 사랑의 도시고.."라고 말하고 돌아서는 영주의 두눈에 눈물이 핑그르 맺힌다.

<또 가버린 여자>

"이번 한번만...응? 한번만 봐주라"
진수가 빌다시피 한다. 결혼이 엎어진게 벌써 다섯번째다.
예식이 다가오면 꼭 일이 터지거나 다른 데 돈 쓸일이 생겨서
번번이 미뤄와서 안그래도 해은은 이번에도 영 불안했는데 그
불안은 현실이 되었다.
"내가 진수씨한테 몇순위야? 자기 동생보다도 밀려? 그럼 나하
고 왜 결혼하려고 해?" 라며 그녀는 쏘아붙이다 그대로 밖으로
뛰쳐나간다.
뒤에서 자기 이름을 부르며 따라오는 진수를 남기고 급히 택시
에 올라탄다. 그렇게 둘은 멀어져간다.

거래처 직원으로 만나 사귄게 벌써 5년이 다 돼간다. 둘의 연애
는 그저그런 보통의 단계를 밟았고 사귄지 6개월만에 진수의 원
룸에서 함께 밤을 보냈다. 둘다 가진게 없다면 없는 집안이어서
양가 어른들도 그닥 반기지도 않았지만 굳이 반대도 하지 않아
명절이면 서로 왕래를 하면서 지냈다.
그러다 아무래도 딸가진 입장이어선지 해은의 집에서 결혼얘기
가 먼저 나왔고 진수네도 그러려니 하고 받아들여 날짜를 잡았

다. 그런데 결혼을 코앞에 두고 갑자기 진수 부친이 뇌졸중으로 쓰러지면서 결혼은 무기한 연기되었고 이후 세번 더 줄곧 진수 쪽 사정으로 결혼이 틀어졌다.

그렇게 되자 해은네서는 '아무래도 연이 아니다'라며 다른 선자리를 들이밀었지만 그래도 해은은 진수를 고집했고 둘만의 언약식도 치렀다. 그렇게 둘은 커플링을 나눠 끼고 언젠가는 꼭 결혼하기로 약속했다.

그런데 이번에 또, 결혼이 임박해서 진수의 여동생이 길가던 자전거에 부딪쳐 머리를 다쳤다고 한다. 워낙 돈이 없는 집안이라 진수는 결혼비용으로 모아둔 돈을 모조리 동생 병원비에 쓰게 된것이다.

"날 사랑하긴 해?"
그날밤 계속 전화를 걸어오는 진수에게 해은이 울면서 물어본다.
"알잖아. 내년엔 꼭 해 결혼"
그말에 해은은 아무 대답도 않고 전화를 끊는다.

남자는 마흔이 다 된 나이치고는 꽤 동안이다. 신혼때 이혼해서 아이도 없고 무엇보다 자기 사업을 해서 경제력이 탄탄한 걸 해은의 부모는 반기는 눈치였다. 오히려 한번 갔다와서 여자 귀한

걸 알거라며 해은을 등 떠밀어 선자리에 내보냈다.

하지만 이번엔 강권에 의한 것만은 아닌 것이 해은도 이제 지칠 대로 지쳐서 진수를 정리해야겠다는 마음이 들었기 때문이다. 물론 마음이 쉽게 굳혀지는 건 아니어서 동욱과의 약속도 몇번씩 연기하다 겨우 잡힌 자리였다.

"이런 질문 좀 그렇지만, 누구 없으시죠? 워낙 미인이시라.."하며 동욱이 슬쩍 해은의 남자 문제를 물어본다.

"있더라도 정리하면 되는거 아닌가요?"

해은의 대답에 그는 조금은 석연치 않아 하면서도 마음을 굳히는 모양새다.

"결혼합시다. 해 넘기지 말고. 마포에 세 준 아파트 내보낼게요"

동욱의 난데없고 성급한 청혼에 해은은 어이가 없지만, 어쩌면 이렇게 인연일 수도 있다는 생각이 든다. 해은은 연락하마 하고 동욱과 헤어져 집에 오다 아무래도 진수를 봐야겠다고 생각한다.

"야, 너 반칙하는거야!"

해은이 방금 선을 보고 왔고 결혼할거 같다고 말을 하자 진수가 내뱉은 첫마디가 이랬다.

"자긴 여태 반칙 안했어?"

"그거야..다, 그때그때 사정이.."

하지만 진수는 말을 끝맺지 못하고 결국 고개를 주억거린다.

"니가 지칠만도 하다. 그래도..."라며 그가 애원의 눈빛을 보낸다.
해은의 마음이 흔들린다.

"나좀 피곤해. 담에 얘기해"하고 그녀는 까페를 먼저 나온다. 겨울이 오려는지 으스스한 냉기가 그녀의 몸을 파고든다. 꼭 눈이 올 날씨다..

동욱은 뽑은 지 얼마 안된다며 자신의 suv를 애마 다루듯이 한다.
그런 그의 모습이 천진하고 귀엽기도 해서 해은이 빙긋이 웃자 그가 조수석 문을 열어주고는 얼른 타라고 한다.

그 길이다. 예전 진수와 달렸던 그 바닷길...
저 멀리 겨울바람에 바다 너울이 일렁이는게 보인다.
"좋죠 바다 오니까?"
아무것도 모르는 동욱이 힐끔 옆의 해은을 보며 물어본다.
해은은 차마 대답을 하지 못하고 우두커니 바깥만 쳐다본다. 그러자 동욱이 그녀의 한손을 잡아온다. 그의 손이 차다...진수의 따뜻한 손이 그립다. 그녀가 손을 빼려하자 동욱은 더 힘주어 잡는다. 동욱은 눈치채지 못하는거 같지만 그녀의 왼손 약지에는 진수와 나눠 끼었던 커플링의 흔적이 역력하다..

"하루 자고 갑시다"

그가 너무도 천진하게 이야기해 그녀는 오히려 거절할 수가 없다.

호텔 레스토랑에서 저녁을 먹은 뒤 동욱은 어서 룸으로 갔으면 하는 눈치다.

해은도 아예 오늘 이 남자와 자버리고 진수를 싹 다 지워버리고 싶은 마음이 든다. 그리고 결혼해버리면 더이상 골머릴 앓을 필요도 없는 것이다...

그렇게 둘은 룸으로 올라가는 엘리베이터를 기다린다..

기계는 빠른 속도로 하강하고 있다. 3,2, 그리고 1층에 이르러 문이 활짝 열린다. 아마도 장소의 특성상 엘리베이터 문의 작동 속도도 조절해 놓은 것 같다.

"타죠"라며 동욱이 먼저 올라탄다. 그 뒤를 따라 한발을 넣던 해은이 멈칫한다.

그런 그녀의 주저하는 모습에 동욱이 상처받는게 금세 느껴진다.

"미안해요...안되겠어요"라며 그녀가 몸을 돌려 로비를 뛰어나가고 그런 그녀의 뒷모습을 그는 무기력하게 쳐다본다.

"자 이거 다시 껴"라며 그날밤 해은을 만난 진수가, 지난번 해은이 돌려준 커플링을 다시 끼워주려 한다.

그러나 해은은 손을 내밀지 않고 물끄러미 반지를 쳐다보기만 한다.

"사랑해. 알잖아"라며 진수의 눈빛이 간절해진다.

그러자 해은은 곰곰이 생각에 빠지더니 그 반지를 건네 받는다.

"어서 껴"라고 재촉하는 진수의 눈을 빤히 쳐다보던 그녀가 그 반지를 옷 주머니에 집어 넣는다. 그런 그녀의 행동이 낯설게 느껴지는 진수의 눈빛이 불안하게 흔들린다.

"겨울 다 왔어. 그지?"라며 해은이 밖을 보자 첫눈이 휘날린다. 가늘지만 분명 눈발이 흩날리고 있다.

"눈 오네"라는 그녀의 말에 진수도 창밖으로 시선을 돌린다...

"우리 좀 나가서 걸을까?"하며 그가 다시 고개를 돌리자 이미 해은이 가버린 텅빈 의자만 눈에 들어온다. 해은아...그때 폰 메시지가 온다.

"우리, 겨울은 각자 보내고 봄에 봐"라며 해은이 보내온 문자 끝에는 하트 이모티콘이 떠있다. 이걸 어떻게 받아들여야 하나, 뭐라고 답을 해야 하나 고민하던 진수는 당장은 그 어떤 대답도 할 수 없음을 깨닫고 폰에서 눈을 거두어 다시 밖을 본다. 그 사이 눈은 그쳤다.

<사랑의 인사>

컴퓨터 툴이라는게 해미에게 그리 낯선건 아니지만 이번엔 창
업지원금이 걸려있는 문제여서 어느정도 신경을 써야 한다는게
스트레스로 와닿는다. 홈페이지는 필수라는 지원금 여부를 결
정하는 담당자의 말에 그녀는 부랴부랴 노트북을 부팅시켰다.
마침 a 포털에서 무료로 홈페이지를 만들수 있는 툴을 제공해서
일단은 그걸로라도 만들기로 한다. 그렇게 밤을 새워 겨우 하나
를 만들고 나서는 그녀는 그대로 탈진해버린다.

프랑스 작가 b의 이름 앞두자리를 따와서 만든 그녀의 '1인 콘
텐츠 기획사'의 심적 지분은 다분히 영준에게 있다고 해도 과언
이 아니다. 작가 b의 이름조차 몰랐던 그녀에게 b의 작품들이며
그의 존재가치를 알려준 이가 바로 영준이었다. 그로부터 b의
작품들을 소개받고 읽었던 기억이 아직도 생생하다. 벽 하나를
사이에 두고 남녀가 서로 오해를 해서 비극적인 결말에 이르던.

그날밤 해미는 b가 그토록 사랑했던 페루의 바다 위를 둥둥 떠

다니는 꿈을 꿨다...그러다 전화벨 소리에 잠을 깬다. 그러나 그녀가 눈을 뜨면서 전화벨소리도 끊겼다. 액정을 보지만 어떤 부재전화도 찍혀있지 않다. 아마도 홈페이지를 만들면서 이미 헤어져버린 영준을 생각한 탓이리라 생각된다.

그리고는 다시 잠을 청하지만 잠은 오지 않고 대신 심한 허기가 느껴진다 .그러고보니 어제 점심 이후로 물 한모금 먹은적이 없다는게 떠오른다. 그깟 홈페이지가 뭐라고...

그렇게 해미는 침대에서 내려와 냉장고에서 인스턴트 호박죽을 하나 꺼내 전자레인지에 넣고 타이머를 돌린다. 영준이 좋아하던 호박죽이었다. 그와는 헤어졌어도 여태 그의 체취,그의 습관, 식성까지 그녀는 낱낱이 기억하고 있다.

그렇게 덥혀진 호박죽을 침대로 가져와서 후루룩 흡입하듯 먹는데 띠링, 메시지 알람이 울린다. 또 잘못 들었겠지,하고 그녀는 이젠 폰을 보지 않는다. 그런데 두번째 알림이 울린다. 그제야 그녀는 폰을 본다. 헤어진 지 석달만에 영준이 메시지를 보내왔다. 그녀는 먹다만 호박죽을 내려놓고 그의 메시지를 읽어내려간다.

영준은 둘이 헤어졌다는 사실따위는 잊은듯   깨알같이 자신의
일상을 적어보냈다.. 이제 막 소설을 끝냈다며   니가 한번 읽어
봐줄수 있냐는 대목에서 그녀는 실낱같은 희망을 가져본다. 어
쩌면 둘이 다시 이어질지 모른다는...

원고지로 700,800장은 족히 돼보이는 영준의 소설을 다 읽고나
니 이미 자정이 넘은 뒤였다. 해미는 자신의 감상을 솔직하고
조금은 길게 써내려갔다...

그러자 금방 영준에게서 전화가 걸려온다. 지금 오겠다고 한다.
그리고 영준은 정말 금방   그녀의 현관 도어락 비번을 누른다.
문이 열리자 방에 들어서면서 제일 먼저 그가 내뱉은 말은 '비번
안 바꿨네?'였다.
도어락 비번은 둘이 처음 만난그 날짜로 설정해놨었는데 둘이
헤어진 뒤에도 해미는 여전히 그 번호를 고수하고 있었다.

"먹을것좀 줘"라며 그가 털퍼덕 침대에 걸터앉는다.
"호박죽 사다놓은게 있는데"
"좋지...두개쯤 덥혀봐"라며 그가 침대에 털퍼덕 눕는다.

둘은 헤어진게 아니다. 잠시 안보고 지낸거 뿐이라는 생각이 해미를 스쳐간다.

그렇게 호박죽 두개를 거뜬히 해치운 뒤 영준은 그제서야 그동안 어떻게 지냈냐고 물어온다. 너 니 회사 차린다고 했잖아...

그걸 다 기억하고 있는 그가 해미는 고맙기까지 하다. 이렇게 되면 분명 둘 사이에 파란등이 들어온 것이리라.

"안그래도 창업금 지원 받으려고 어제 밤새 홈페이지 만들었어" 라며 그녀는 곧이곧대로 이야기를 한다.
"그럼 나한테 부탁하지"라며 "검색 뭘로 해?"라고 묻는다.
회사명을 알려주자 그의 얼굴에 미소가 번진다. 아마도 자신이 알려준 작가 b에서 이름을 빌어왔기 때문인 것 같다.

그가 해미의 홈페이지를 보면서 슬쩍 묻는다. "이번 소설 좀 팔릴거 같냐? 당최 살기가 힘들어서.."라고 한다.
퇴고를 해야 한다며 한시간쯤 해미의 방에 머물다 그가 일어난다.
"창업금 나오면 한턱 쏴라"라며 해미의 머리카락을 헝큰다. 그러면 해미는 '뭐야'라면서도 좋아했다 예전에.

지금도 그런 그의 행동이 싫지 않아 해미는 생긋 웃는다.

그렇게 가볍지만 긍정적인 그와의 재회를 마무리하고 나자 갑자기 나른함이 몰려들며 그녀는 잠에 빠진다.

실사를 나온 담당 직원은 해미보다 두세살쯤 어려보이는 깔끔한 차림새의 젊은 남자였다. 해미가 예상한대로 그는 제일 먼저 '홈페이지는 만드셨나요'라고 물어본다. 해미가 자신의 홈페이지를 보여주자 그가 유심히 보는게 느껴진다. 그후 그는 사업계획서를 달라고 하였다. 그것도 이미 전화로 전달받은 사항이어서 해미는 출력해놓은 계획서를 제시한다. 그 외에 한두가지 더 체크하더니 창업금 지원 가부는 오늘 내일중으로 연락이 갈거라며 그는 갔다. 오피스텔 건물 앞까지 배웅을 하려던 그녀는 마음을 고쳐먹는다. 아직 어떻게 될지도 모르는데 그건 좀 오버라는 느낌이 들었다.
그리고는 그날저녁 메시지로 창업금 지원이 확정되었다는 문자를 받았다.

"야 축하한다.밥 사라""
영준은 창업 지원금이 입금되었다는 해미의 전화를 받고는 마치 자기 일인양 좋아하였다.

그 다음날 둘이 자주 가던 대학로에서 보기로 하고 해미는 홀가분하게 샤워를 마치고 잠자리에 든다. 죽음과도 같은 깊은 잠을 자고 나자 벌써 한낮이 돼있다. 늦지 않으려면 서둘러야 할 시간이다. 헤어진 뒤 처음 밖에서 보는 건데 늦으면 안된다는 생각에 그녀는 택시를 타기로 한다.

택시는 총알같이 달려 대학로에 도착한다.

"돈 탔으니까 비싼거 먹는다?"라며 그가 해미의 반응을 살핀다.
"맘대로.."라면서 해미가 메뉴판을 그의 앞으로 민다.
"근데, 겨우 그거밖에 안 나왔어?"그가 메뉴를 훑어보며 말을 한다.
"우리...이어진거지?"그녀는 확인하고 싶다.
"바보야..이렇게 만났잖아. 뭘 더 물어"라며 영준이 또다시 그녀의 머리를 헝큰다.
"하지마!"라면서 그녀는 헝클어진 머리를 가지런히 한다.
"나도 너처럼 1인 창업 한번 해봐?" 라며 그가 물어온다.
"자긴 1인 출판 이런거 하면 좋겠네. 자기 글 마음대로 낼수도 있고"라며 그녀가 맞받자
"내가 좀 훑어봤는데..그거, 신용도가 높아야 하더라구"라며 그가

풀이 죽는다.

"응 신용점수 봐. 자긴 안되겠다. 신용불량이라"라고 하자

"니거 주면 되겠네"라고 한다.

그녀는 무슨 말인지 이해를 하지 못한다. 그러자 영준은 메뉴판에서 눈을 떼며 다시 말한다.

"니 창업금 나 줘. 그거라도 있어야 편집이라도 맡기지"라며 너무도 당연하다는 듯이 그가 말한다. "좀 모자라는 건 니가 대출 좀 받아"라며 그녀에게 대출까지 운운한다.

그말에 해미의 온몸이 빳빳하게 굳어온다. 둘이 사귈때 해미는 광고회사를 다니고 있었다. 무명작가인 영준에게 돈이 있을리 없어 데이트 비용은 해미가 다 냈고 여행비, 가끔은 그의 월세까지 내주었다.

"갚는다 갚아. 이번 책 팔릴거 같아"라며 그는 메뉴에서 제일 비싼 풀코스를 선택한다.

그날밤은 해미의 오피스텔에서 자고 간다는걸 해미가 다음에 오라며 간신히 그를 떨어뜨리고 혼자 버스에 오른다. 그와 나눈 이야기들이 이제는 꿈결처럼 아득하기만 하다. 버스가 출발해서 멀어져갈 때까지 영준은 계속 해미를 향해 손을 흔들고 있다. 물끄러미 보던 해미도 마음을 굳히고는 그에게 손을 흔들어준다 마지막 인사는 해야겠다는 생각에...

<비밀의 남자>

동수는 지난밤도 외박을 하고 안들어왔다. 이번달 들어서만도
벌써 두번째다. 은진은 더 참을 필요가 없다는 생각에 이 관계
를 정리하기로 마음먹는다. 어릴때 부친의 계속되는 외도로 결
국 마음의 병을 얻어 세상을 등진 모친을 둔 은진이기에 남자의
'바람'에는 진저리를 내는 터고 그 '끝'을 알기에 더 끌 필요가
없다 생각돼 짧게 식탁 위에 메모를 남기고 둘의 오피스텔을 나
온다.

겨울바람이 매섭다. 한 열흘 봄날같은 따스함이 계속되더니 다
시 혹한이 왔다. 이래야 겨울이지..하면서 그녀는 끌고 나온 캐
리어를 차 트렁크에 싣고 시동을 건다. 그런데...어디로 가나...

h가 운영한다는 작은 주점이 아마 이 근처 어디려니 그녀는 짐
작한다. 이따금 서평이며 영화리뷰, 그밖의 다양한 글을 쓰는 그
의 블로그에 자주 언급되는 그곳이 여기 어디리라 하고 그녀는
차를 외진 골목에 주차하고 걸어보기로 한다.
동네는 서울의 70년대 흑백사진을 연상시키는 레트로한 감성을
자아낸다. 여긴 아직 재개발의 바람이 불지 않았나보다,하고는
그의 주점을 무작정 찾아나선다. <골목길>이라는 상호를 찾느

라 그녀는 겨울 냉기 속을 배회한다. 물어볼 이도 없다...

그렇게 주점이 있음직한 골목 서너곳을 뒤지다 결국 <골목길>을 찾아낸다. 그러자 자신이 왜 여기까지 왔는지,와서 뭘 어쩌자는 건지 알 수가 없다....

그의 블로그에 댓글 몇번 달고 답글을 받은게 다인데...그로부터 읽을만한 책과 영화를 몇번 추천받은게 단데..이렇게 와서 뭘 하려 했는지 도무지 알수가 없다.

그녀는 일단 주점의 위치를 알아낸 것으로 만족하기로 하고 차로 돌아간다..

점심을 먹고 회사로 돌아오는데 로비에서 동수가 서성이고 있는게 보인다.

"니 짐 다 뺐드라?" 그가 볼멘소리를 하지만 은진은 그를 투명인간 취급하고 그대로 지나쳐 사무실 안으로 들어간다.

해외 에이전시에서 온 팩스를 들여다보는데 사무실 문이 열리며 동수가 들어선다.

"여기 사무실이야. 나가서 얘기해"라며 그녀가 먼저 앞장을 선다.

"우리 결혼하자"라는 동수의 말에 그녀는 헛웃음만 나온다.

"결혼? 외박하고 들어와서 하는 말이 결혼?"

"이상하게 들리겠지만...니가 생각하는 그런거 아냐..그리고 난

너랑 못 헤어져"라며 그가 입을 꼭 다문다.

"미쳤구나 아주...나, 안그래도 원룸 봐둔거 있어서 그거 계약할 거야"

"그러지 말고 결혼하자. 나 의심하지 마"하고 그는 준비해온 반지를 내민다.

"돌았어. 미친 자식"하고 그녀는 까페를 서둘러 나온다. 밖에는 눈이 내리고 있다.

며칠후 와본 주점 <골목길>은 영업을 안하는지 불이 꺼져있다. 눈을 헤치고 이곳까지 달려오는 동안 은진은 '내가 뭘 하는 건가'했지만 결국에는 오게 되었다. 그렇게 불꺼진 주점을 한시간 이상을 멍하니 쳐다보다 그녀는 다시 차를 돌려 그 동네를 빠져 나온다.

그리고는 그날밤, 그의 블로그에 들어가자 그가 새로 공지를 올려놓은 게 보인다. 한동안 휴지기를 가져야 할거 같다고 .무슨 일일까...

그리고는 사무실 소파에서 그녀는 불편한 잠을 청한다. 꺼떡하면 동수가 들이닥쳐 눕곤 하던 그 소파....딱딱한 쿠션감이 그녀를 자꾸만 잠에서 깨게 한다. 아무래도 소파를 바꿔야겠다...

다음날 동수는 또 사무실로 왔다.

해외 에이전시에서 계약을 체결하겠다는 답장이 와서 그녀가 분주하게 답문을 작성하던 무렵이었다.

"나 지금 바빠. 번역 섭외도 해야되고."라며 그녀는 모니터에서 눈을 떼지 않고 동수를 외면한채 말했다.

은진이 1인출판을 시작한 지도 벌써 5년째다. 처음엔 소소하게 전자책으로 시작해서 이젠 제법 돈이 되는 종이책까지 발간하게 되었지만 그렇게 되기까지는 무수한 시행착오와 손해를 감수해야했다. 폐업신고를 하면 다 정리되는 것이었지만 그러기가 쉽지 않았다. 미진한 무엇인가 남아있다는 생각, 동수의 글을 자신의 출판사에서 내고 싶은 마음, 그런 것들이 복합적으로 작용해 계속 일을 끌어왔다. 그러다 이번에 에이전시를 통해 해외작가 j의 책을 계약하게 된것이다.

"천천히 해. 나 잠좀 잘테니까.."라며 동수가 사무실 그 소파에 눕더니 이내 코를 곤다.

그렇게 자는 동수를 놔두고 그녀는 사무실을 나온다. 불도 끄지 않고 사무실을 나오자 지나가던 관리인이 '불 안 껐어요'라고 알려준다. "안에 사람 있어요"라고 대답하고 그녀는 엘리베이터로 향한다. 그러자 또 <골목길>이 떠오른다. 폐업한 게 아닐지 모른다는 생각에, 그리고 갑자기 블로그를 그만 둔 h가 마음에 걸려 아무래도 한번은 그를 만나야겠다는 생각이 든다.

그리고는 그녀는 차를 몰아 다시 그 동네로 향한다. 퇴근길이어서 차는 한참을 지체해서 목적지에 도착한다. 그리고는 이제는 익숙해진 그 골목으로 들어서는데 <골목길>은 여전히 불이 꺼져있는 상태다. 분명 무슨 일인가 있다 싶어 차를 돌리는데 흰색 suv가 마주 오는게 보인다. 겨우 차 두대가 지나갈 만한 좁은 길목이어서 그녀가 자기 차를 벽에 바싹 갖다대는데 suv가 그녀의 차 옆에 와서 멈춘다. 눈에 익은 번호판이다...

동수의 차였다. 어쩐지...낚시를 좋아하는 그래서 낚싯밥이며 낚시 장비를 넣겠다고 중고차에 루프박스까지 얹던 그날이 떠오른다..

"너 왜 여있어?"
동수가 먼저 물어온다.
"그러는 자긴?"
"나...가게문 열러 왔지. 니가 심통 부려서 며칠 문 닫았거든"
그말에 은진은 헉, 숨이 멎는것만 같다.
그럼 <골목길>이 자기 가게?라는 그녀의 표정에 "우리 둘 다 글쟁이잖아. 그걸로 밥 먹고 살기 힘들잖아. 니 출판 수입이야 뻔한거고..그래서 결혼하면 이걸로 살아야겠다 생각하고..."라는 그의 말이 그녀를 울게 만든다.

"그럼 외박한 것도 "

"술손님들 밤 새잖아 ..."하고 그가 울먹이는 은진을 가만히 안아 온다.

"들어가서 저녁 먹자. 금방 해줄게"라며 그가 <골목길>의 도어락 비번을 누른다. 그러자 문은 스르르 슬라이딩으로 열린다.

"휴지기를 가질 필요가 없게 되었습니다. 그녀가 돌아왔습니다" 라는 그의 블로그 공지에 은진은 댓글을 달고 싶은걸 꾹 참는다 내가 그녀라고. 당신글에 댓글 다는 여자가 나라고 말하고 싶지만 그건 비밀로 하기로 한다. 동수는 탕웨이의 영화 <시절인연>의 영화리뷰를 올려놓았다. 조금 있으면 동수가 가게 문을 닫고 올 시간이어서 그녀는 부지런을 떨기로 한다. 그가 좋아해서 사온 해산물로 탕을 끓이기로 한다. 그리고는 ott창을 열어 <시절인연>을 보기 시작한다...

<박제가 된 사랑>

지우는 어제 다 늦게까지 규완과 술을 마신 거까지만 생각이 난다. 그후는 '필름이 끊어져버렸고' 어쩌다 지금 자신이 규완의 오피스텔 침대에 누워있는지 도무지 생각이 나지 않는다.
그러고는 주섬주섬 옷을 주워입다, 혹시 규완과 섹스라도 했나 싶어 이불을 들춰보자 알몸이었다.
미쳤어 미쳤어...하며 지우는 서둘러 옷을 입고 외투를 집어들고 급히 나가려는데 그때 마침 규완이 약봉지를 한손에 들고 들어선다.

"머리 아픈건 좀 괜찮아?"라는 그의 말에 그녀는 그제야 취기가 몰고 온 두통을 느낀다
"이거 먹고 가"라며 규완이 약봉지를 내민다.
"어떻게 된거야 우리?"라고 그녀가 약을 털어 넣으며 묻자,
"기억 안 나?"라며 그가 씩 웃는다.
저 웃음의 의미는 뭘까? 어쩌다 이 지경이 됐을까? 혹시, 지우 자신이 원해서 이러자고 한건 아닐까 하는 생각이 든다.

그렇게 약을 털어놓고 물 한모금을 삼키고 그녀는 황급히 그의

오피스텔에서 나온다.

이 상태로는 도저히 운전을 할수 없을거 같아 그녀는 택시를 잡기로 한다. 그리고는 택시에 올라 회사가 있는 강남으로 가자고 한 뒤에야 자기 차를 어디에 뒀는지 모르겠다는 생각이 든다. 미쳤구나 내가...

그렇게 점심 무렵까지 그녀는 카피 한줄도 써내지 못하고 끙끙대고 있는데 문자 알림이 울린다.   지우네 회사 주차장에 지우의 차를 갖다놨다는 규완의 문자였다.

대학을 졸업하고 우연히 sns에서 자기를 찾아낸 규완과는 대학시절 꽤나 막역하게 지낸 사이였다. 당시 둘은 문학동아리에 적을 두고 찰스 부코스키에 대해 열띤 토론을 벌이기도 했다. 음담패설과 욕설로 점철된 그의 소설을 두고 그것에 문학이니 예술이니 하는 위상을 부여할수 있느냐 뭐 이런 시시콜콜한 내용이었던 거 같다. 단순히 팬덤이 있다고 해서 그가 과연 추앙받는 작가의 자리에 오를 수 있느냐까지 따지고 들었다. 지금 생각하면 유치찬란하기 그지 없지만 그때는 꽤나 심각한 테제였다 어린날이란...

그러던 문학 동아리 친구들도 졸업 무렵에는 다들 제 살길을 찾느라 모임에 안 나오기 시작했고 그 흐름을 타서 지우와 규완도 서로 소원해진 채로 졸업을 했다.

지우는 이 광고 회사에 규완은 유명 it 회사에 취직했고 졸업 후 시내에서 한번인가 점심을 먹은게 다였다. 그리고는 10년만에 이 사달이 난 것이다.

이걸 어떻게 하나...

그런데 이런 경우 여자가 먼저 '내가 취해서 그랬어'라고 하는건 어느 드라마에서도 본적이 없는거 같다. 그렇다고 규완쪽에서 그런말을 해온 것도 아니다... 앞으로 안 보면 된다고 하기에는 둘의 어릴 적이 너무 밀착돼 있었기에 마치 나쁜 짓을 해놓고 배반하는 꼴이 돼버렸다. 어떻게든 이 매듭을 풀어야 하는데...

그렇게 무거운 마음은 하루종일 갔고 퇴근무렵 지우는 서로 낯뜨거워도 풀건 풀고 가야 한다는 생각에 규완에게 모처에서 지금 좀 볼 수 있냐고 하였다. 그러자 규완도 비슷한 생각을 하고 있었는지 곧바로 보자고 응답을 해왔다.

그리고는 둘은 클래식이 낮게 은은히 흐르고 있는 까페에서 마주한다.

"몸은 괜찮아?"규완은 정말 걱정하는 눈치다..

"뭐..좀 그렇지. 아무래도 속이...우리, 많이 마셨나봐?"

"너, 예전엔 술 안 셌잖아"

그리고는 둘 사이에는 침묵이 오간다.

"우리 어제"라고 지우가 힘겹게 입을 떼자

"취해서 그런건데 뭐...잊어버려. 미안했다. 내가 조심했어야 하는데"라고 한다.

그말을 듣고 있자니 , 취한 자신을 오피스텔로 데려간 건 규완이었다는 엄연한 사실이 뒤늦게야 느껴진다. 그렇다면 이런 거북한 상황을 연출한 것도 다 규완이지 지우 자신은 아니라는 생각에 조금은 마음이 놓인다.

"왜 그랬어?"라고 그녀가 반색을 하고 따지려 하자 규완이 움찔한다...

"난 그냥..미안...미안했다."라며 그가 머리를 긁적이는데 그의 전화벨이 울린다.

"아 네...지금 친구랑 있어서요..네, 연락드릴게요"라며 그가 쩔쩔매듯 전화를 끊는다.

"너, 누구 있구나?"

'응...정확히 말하면 정혼자. 집에서 정해준"

규완의 집이 이른바 '명문가'임은 동아리 모임에서 이미 다들 알고 있었다. 대대로 의사 집안에 친가 외가까지 합하면 법조계 정계 인사도 꽤나 포진해 있었다. 그래선가 그와 다른 동아리 친구들 사이에는 보이지 않는 '거리'도 있었던 생각이 난다.

"우리 다신 보지 말자"라며 지우가 냉정히 말한다.

"내가 잘못했으니까...밥 살게"

그러나 지우는 정혼자가 있으면서 술 취한 자신을 탐했다는게 영 용서가 되지 않아 싸늘한 눈길을 던지고는 밖으로 **휙** 나가버린다.

다음날 퇴근길 지우는 접촉 사고를 냈고 현장에서 합의처리를 하였다. 그리고는 '운수 더러운날'이라며 중얼거리며 자신의 아파트 앞에 차를 세우는데 저만치 규완이 먼저 와있는게 보인다. 자기 일제차에 비스듬히 기대서.

내 집은 어떻게 알았을까? 하며 그녀가 머뭇거리는데 규완이 다가온다.

"저녁 산다니까"

"너 여기 어떻게 알았어?"

"그게 중요한게 아니잖아...가서 밥 먹자"라며 그는 그녀의 한팔을 끈다.

"너 또 그럼 죽는다."

"알았어 미안해..."

"언제 결혼해?"

"해야지..서로 만난건 좀 되는데...이게.. 끌리질 않네"

"드라마구나. 다른건 다 좋은데 끌림이 없다는거"

"그냥...너하군 하구 싶었어"

그 말에 고기를 썰던 지우의 포크질이 딱 멈춘다.

"나랑? "하는데 피식 웃음이 나온다.

"우리, 계속 보자"라며 그가 슬쩍 그녀의 반응을 살핀다.

"너 장가..."하다가 지우의 얼굴이 굳어진다.

"너 결혼하고도 계속 보자는 거야?"

"요즘 세상에 뭐 어때"라고 그가 말한다.

"실은 학교때도 너 좋아했었어. 나는 여러번 대시했는데 니가 모르더라구. 바보"하면서 그가 고기를 입안에 넣고 오물거린다.

"나는 시집 안가구 니 숨겨진 여자나 하라구?"

"너두 시집가. 우리 한 2,3년에 한번씩 만나서,"라고 하는 그의 뺨을 지우가 냅다 후려친다. 그 바람에 옆테이블 커플이 눈이 휘둥그레져서 쳐다본다.

"나쁜 자식"하며 그녀가 자기몫의 음식값을 테이블에 내려놓고 레스토랑을 나가버린다.

눈이 내린다..

내일은 차를 두고 출근해야겠다는 생각을 하며 그녀가 자기 아파트 단지 가까이 왔을 때 헉헉 달려오는 숨가쁜 소리가 들려온다. 돌아보니 규완이었다.

"그럼 결혼할래 우리?"

그말에 지우가 한참을 뚫어지게 쳐다본다.

"너, 나 사랑하니?"

그말에 그가 다급한 얼굴이 된다.

"우리 잘 맞잖아. "

"뭐가 맞는다는거야?"

그말에 규완은 대답을 하지 못한다.

"따라오지 마. 니 차는 내가 내일까지 니 오피스텔에 갖다줄게. 됐지?"라며 지우는 그를 단지에 못들어오게 한다.

그렇게 들어선 아파트 단지에서는 비싼 규완의 외제차가 하염없이 눈을 맞고 있다.

저걸 지하로 옮겨야 할텐데,하면서 자기 손에 들린 규완의 차키를 한참 들여다보는 동안 눈발은 더더욱 굵어진다.

<닫힌문을 여는 여자>

남도의 s인터넷 신문으로부터 신년특별기고를 해달라는 청탁이
들어왔다. 은주가 s신문과 인연을 맺은건 선우 때문이었다. 그가
자신의 신간을 홍보하라며 s신문을 알려주었고 서평은 전혀 써
보지 않은 은주는 서툴게나마 서평을 완성해 s신문에 투고를 하
였다. 그러나 하루가 다 가도록 글은 실리지 않았고 해서 선우
에게 면목이 없었는데 다음날 아침 혹시나 하고 보니 자기 글이
떡하니 실려있는 걸 보고 매우 신기해하던 생각이 난다. 그러고
는 담당자라며 전화를 해와서 통장계좌를 알려주면 고료를 입금
하겠노라 하였다. 얼마 안되는 돈이었지만 난생처럼 기고를 해
서 받은 고료여서 은주는 그 돈으로 소고기를 사서 뭇국을 끓여
선우와 함께 먹었다.

그 s신문에서 신년 기고를 해달라는데, 뭐를 써야 하나 하면서
그녀는 장고에 들어간다. 선우와는 지난 여름 헤어져버린 터라
그 사랑의 흔적이 남아있는 그 신문이 조금은 께름직했지만 거
기에 올린 서평이 계기가 돼서 그녀는 지금 서평 전문 기고가로
활동을 하고 있기도 하다 . 그러니 s 신문에 빚을 졌다면 진 거

41/233

라고 할 수 있어 되도록이면 글을 보내리라 마음먹고는 웹을 검색하며 자신의 문서함에 저장된 쓰다만 미완의 원고들도 일일이 훑어본다...

그러다 그녀는 불행하게 살았던 미국작가 호레이스 맥코이의 <그냥 고향에 있을걸>을 원서로 읽은 기억이 나서 그 책의 서평을 쓰기로 한다. 헐리웃 엑스트라들의 이야긴데 가난하지만 마음만은 출세욕과 욕망으로 가득찬 그들의 심리가 어쩌면 인간 보편의 심리가 아닐까 하면서 그녀는 한자한자 타이핑을 해나가기 시작한다.

은주가 원고를 끝내고 퇴고까지 마치자 해가 바뀌어 있다. 이제 은주도 서른 여섯이다. 우스갯소리로 떡국 한두그릇만 더 먹으면 마흔줄이다...그는 뭘 하고 있을까, 하며 선우를 떠올려보지만 이상하게도 그의 얼굴이 생각이 나질 않는다. 그리도 여러번 그녀가 매만지고 바라보았던 그의 얼굴이 갸름한 실루엣을 빼고는 떠오르질 않는다. 이런게 이별인가 보다...
그녀는 내일이나 모레쯤 기고문이 실리려니 하고는 송고를 한다 그러고나자 나른한 피로감이 밀려든다. 하지만 새해 첫날 아침을 잠으로 맞고 싶지 않다는 마음에 그녀는 밖으로 나간다.

겨울치고는 따스한 날이 계속돼서 그녀는 가벼운 패딩을 걸치고 나왔지만 하룻새에 기온이 떨어졌는지 꽤나 쌀쌀하다. 다시 들어갈까, 고민하다 그녀는 그냥 뛰기로 한다. 그렇게 강까지 갔다오면 얼추 땀도 날테고 샤워를 한 뒤 사다놓은 떡으로 떡국을 끓여먹으면 혼자 살아도 할것은 다 한다라는 생각에 피식 웃음이 나온다.

그렇게 그녀가 강에 이르자 강의 일부는 아직도 결빙된 상태다... 며칠간의 따스함에도 겨울강은 완강하게 저항하고 있었다.

이쯤에서 선우와 나란히 앉아 흐르는 강을 보던 생각이 난다. 그의 어깨에 자기 머리를 기대고 자주 바라보던 그 강인데도 오늘만은 새롭게 보인다. 저 강도 나이 한살을 먹었겠구나 하자 왠지 조금은 서러워진다.

그렇게 나이든 강을 이제 그만 떠나기로 하고 그녀가 자리에서 일어나는데 저만치서 조깅을 하며 달려오는 남자가 하나 보인다 전체적 실루엣이 선우를 닮은 것에 그녀는 혹시나 하는 생각이 든다. 그렇지만 가까이 그녀를 지나쳐가는 그는 분명 선우가 아니다. 그녀가 실망하고 터덜터덜 강변을 걷고 있는데 '허은주'라고 부르는 소리가 들리는 듯하다. 선우의 목소리였다. 그녀가 획 돌아보았지만 그곳에는 아무도 없었다. 그저 유유히 흐르는 겨울강만이 존재감을 과시하고 있다.

s신문은 메인란에 그녀의 신년기고문을 실었다. 호레이스 맥코이에 대해서 자기들이 추가 검색을 했는지 ,은주가 간단히 적어보낸 맥코이의 양력에 살이 붙어있다...

이렇게 해서 괜찮은 작가 하나를 비록 지역신문이지만 알리게되었다는 사실에 그녀는 자부심을 느꼈다.

어쩌면 선우도 이 기사를 보고 있을지 모른다는 생각이 들어 자기의 휴대전화를 멀뚱히 바라보고 있다가 뒤늦게 떡국을 끓여먹고 그녀는 한숨 자기로 한다.

꿈속에서는 여전히 선우와 이어지고 있었다. 선우는 그녀의 어깨에 자신의 한 팔을 두르고 남도의 해안가를 걷고 있다. 저만치 뱃고동을 울리며 거대한 상선 하나가 지나고 있다. 바다위로 눈부신 햇살이 떨어져 내린다...그 해의 가을같다. 그가 갯바위낚시 타령을 하도 해서 같이 내려가 사흘을 보냈던 그때와 같고...

그런데 은주가 선우의 이름을 부르려는데 말이 나오질 않는다. 갑갑한 그녀가 서..선....하다가 깨어보니 벌써 정오를 지난 시각이다. 자는 사이 선우의 전화나 문자가 와있나 싶어 전화기를 살펴보지만 부재전화나 문자 따위는 한통도 오지 않았다. 그녀는 맥이 빠져 침대에서 일어나기조차 힘이 든다..그러다 문득,

혹시나, 어쩌면, 하는 생각에 현관으로 달려나가 재빨리 현관문을 열어본다. 그러자 선우가 우두커니 서있다. 설마...그녀는 자신의 눈을 의심해서 비벼보기까지 하지만 분명 자기 앞에 서있는 사람은 선우였다.

"뭐야. 떡국 먹으러 오라는 얘기도 없고"라며 선우가 삐진 척을 한다.
"언제는 핏제럴드 타령이더니 이제는 맥코이로 갈아탄거야?"라며 은주의 s신문 서평을 읽은 티를 낸다. 은주가 길을 내어주자 "아 배고파"라며 그가 은주의 방으로 들어선다.
은주는 이게 꿈인가 싶어 시간을 보니 벌써 오후 네시를 넘어서고 있다. 그렇다면 잠에서 깨어나 우두커니 선우를 기다린 시간이 꽤 길었다는 얘기다.
"떡국 안 줘?"라며 그가 채근을 해서 "어, 조금만 기다려"하고 그녀는 서둘러 새로 떡국을 끓이기 시작한다.

<꿈으로 오는 사람>

새벽에 걸려오는 전화는 어쩐지 불길하다. 혜성은 졸린 눈을 비벼가며 손을 뻗어 전화기를 집는다.

액정에 뜬 발신자를 보고 그녀는 당황한다 . 형식이었다. 무슨 일일까...지난 여름 헤어진 그가, 그동안 단 한번도 연락을 해오지 않았던 그가...

"응"

"머리아프다"

그는 혼잣말처럼 아주 작게 중얼거렸다.

"뭐라구?"

"아냐...나중에...머리 아프다"하고 그는 일방적으로 전화를 끊었다.

그는 늘 신경쇠약과 불안에 시달렸고 공황발작도 자주 와서 혜성을 걱정시키곤 하였다. 그런 그가 이 시각에 저런 전화를 할 정도면..

그녀는 더 자기는 그른거 같아 그만 일어나기로 한다. 그리고는 바깥을 보니 아직 깜깜하다.

지난 여름 둘은 돈이 빌미가 돼서 헤어졌다. 아니 오래전부터 누적돼온 돈과 관련된 잡다한 문제가 불거졌다고 하는게 맞을 것이다.

그는 친구와 작게 it 관련 벤처를 하겠다고 하였고 혜성은 적은 월급이나마 꼬박꼬박 나오는 기존 회사를 계속 다니라고 하면서 둘은 부딪혔다. 기어코 회사를 그만둔 그는 변두리에 작은 사무실을 임대해 친구와 둘이 사업을 시작했고 창업금 지원을 신청했다. 하지만 당연히 되리라 생각했던 창업금 지원이 물거품이 되면서 그는 돈을 구하러 다니기 시작하였다.

맨처음 손을 내민 형제들에게서는 단 1원도 얻어내지 못하였고 가까운 친구들은 그래도 십시일반 갹출해서 돈 1000을 주었다. 하지만 그걸로는 턱없이 모자라 혜성에게 돈을 달라고 하였고 펜데믹 여파로 네일샵도 불황인지라 그녀는 줄 수가 없었다.

그러면 권리금이라도 받아서라며 그녀를 채근하였지만 가게를 인수하겠다는 이는 어디에도 없었고 그렇게 계속되는 다툼 끝에 둘은 헤어졌다.

그런 그가 반년만에 불쑥 새벽에 전화를 걸어 혼잣말을 하고는 끊어버렸다.

그는 자주 두통을 호소하였다. 그러면서 '난 죽는다. 오래 못산다'는 말을 곧잘 하고는 하였다.

그에게 그 지독한 '두통'이라도 왔다는 얘긴가...

혜성은 가게에 나가면서도 마음이 뒤숭숭하기만 하다.

일을 마치고 돌아오다가 형식에게 가볼까 하는 마음이 들었다. 택시로 만원 거리면 그가 살고 있는 곳으로 갈 수가 있다. 그럼에도 둘다 서로를 한번도 찾지 않았다는 사실에 그녀는 택시를 잡으려다 포기하고 돌아선다. 이미 끝난 사랑인데...

그러다 그날밤 그녀는 도저히 잠을 이룰수가 없어 그에게 이메일을 보낸다. 무슨 일이 있냐고. 어디가 많이 아프냐고...

그러자 그가 곧바로 열어본다. 그러나 답은 없다...

이제는 성탄이 다가와도 불황과 펜데믹 때문인지 거리는 스산하기만 하다. 어디서도 캐럴은 들려오지 않는다.

작년 성탄을 혜성은 형식 없이 홀로 보냈다. 그녀는 성탄 이브에 일찍 가게 문을 닫고 그에게 전화해서 저녁에 집으로 오라고 하였지만 형식은 그때 한참 퇴사를 생각할 때라 그만 두기 전에 처리할 업무가 많다며 그녀의 청을 거절했다.

"너 속도 편하다. 성탄이면 보너스가 나오냐 집이 나오냐. 니가 몇살인데 크리스마스 운운해?"라고.

그말에 혜성은 적잖은 상처를 받았다. 연인 사이면 당연히 만나자고 할수 있는 날이고 또 만나야 하는 날 아닌가..그럼에도...

이번 성탄도 혼자 보내게 생겼구나, 하는데 떵동하고 폰 메시지 알람이 울린다. 형식이 보낸것이다.

"섬에 간다...가고싶다..."라고만 쓰여있다.

머리가 아프다고 하던 그가 이제는 난데없이 섬에 간다고 한다.

섬 어디를 간다는 말인가...

그가 남도 태생인 건 알지만 그는 지극히 그곳을 싫어해서 혜성이 휴가때 남도에 가자고 했을때 발끈 화를 냈었다. 가봐야 안좋은 기억만 되살아난다고.

나중에 알게 되었지만 그는 사생아였다. 술집에서 일하던 모친을 어느 초로의 남자가 뒤따라와 덮쳤고 그렇게 생긴 아이를 지우려고 모친은 몇번이나 시도하였지만 끝내는 하지 못하고 결국 낳고 말았다고 했다. 그게 자기라고...강간으로 세상에 나온 자신을 정말 좋아할 수 있겠냐고 물었던 적이 있다. 그 일 때문일까...그는 그녀를 데리고 한번도 남도로 가지 않았다.

그런데 불쑥 '섬에 간다'니....갑자기 고향이 그리워진 걸까..

성탄 이브를 그의 생각에 꼬박 새우고 당일 아침 늦게야 잠이 몰려왔다. 그녀는 잠결에 도어락 비번 눌리는 소리를 들은 거 같다. 반사적으로 몸을 일으킨 그녀가 "자기야?"하면서 현관으로 달려갔지만 열린 문 너머에는 아무도 없었다. 급히 그가 몸을 숨긴 흔적도 없다...잘못 들었나...그녀는 다시 침대로 돌아와 잠을 청하지만 끝내 잠은 오지 않는다. 혹시나 형식이 올까 싶어 어제는 성탄케익까지 사다놨다.. 해서 그녀는 냉장고에 넣어둔 케익을 꺼내서 포크로 한점 집어먹는데 울컥 설음이 복받친다. 왜 그도 없는데 케익은 사왔을까...이 무슨 청승이란 말인가.

다시 케익을 냉장고에 넣은 뒤 혜성은 물끄러미 자신의 전화기를 바라본다. 그래, 아무리 헤어졌어도 성탄 인사 정도는 할 수 있다는 생각에 그녀는 형식에게 성탄카드를 보내기로 한다. 그리고는 여러 이미지 중에서 마음에 드는 걸로 골라 메모를 한다. "잘 보내 성탄"이라고 쓰고는 보내기 버튼을 누른다.

굳이 그의 답장을 기다린 것은 아니지만 역시 그에게선 그날 저녁이 되도록 답이 없다..

그녀는 오래전에 읽은, 소설을 쓰는 친구가 추천한 로맹가리의 <벽>을 다시 읽기로 한다. 벽을 사이에 둔 두 남녀의 오해와 처절한 비극을 그린 작품이었다.

그녀도 어릴적에는 소설가가 꿈이었는데 이제는 네일샵을 하고 있다. 인생이란 이토록 부조리하고 허망하다는 생각이 든다...

그때 전화벨이 울린다. 안 봐도 형식이라는 걸 그녀는 알 수 있다.

"와. 지금 와"라고 그녀가 다급하게 이야기하자 저쪽은 아무말이 없다...

그제서야 그녀는 발신자를 확인한다. 국제전화번호가 찍혀있다. 형식이 아니었다. 스펨이다. 그녀가 서둘러 전화를 끊는데 눈물이 주르륵 흘러내린다.

어덨을까...무슨 일일까...설령 돈때문에 연락을 했더라도 그가 보고싶다. 밥은 굶지 않는지 물어보고 싶은데 서로에게는 허물 수 없는 '벽'이 생겨버렸다.

이번에는 비번에 이어 현관문이 열리는 소리가 들린다. 다음날 새벽 간신히 잠이 든 그녀는 분명 그 소리를 들었다.

형식씨? 하고 그녀가 눈을 떴을 때는 이미 성탄이 다 지나버린 몹시 추운 아침이었다.

<결혼하고 싶은 남자>

이번에도 안되면 혼자 살자, 윤수는 그리 마음먹는다. 결혼이 될
듯될듯하다가도 늘 막판에 어긋나거나 틀어져버린게 한두번이
아니기 때문이다.

그중에서 유난히 잊히지 않는 건 대학동창 경미의 케이스다. 둘
은 대학을 졸업하고 10년만에 우연히 영화관 로비에서 마주쳤고
그날 저녁을 먹은 뒤 자연스레 다음 약속을 잡았다. 남들이 하
듯 그렇고 그런 과정과 갈등을 겪고 이겨내면서 상견례까지 갔
는데 윤수의 모친과 경미의 부친이 예전에 집안 반대로 결혼에
이르지 못한 , 무슨 드라마나 영화같은 사연을 갖고 있어 깨져
버렸다.

둘은 최대한 부모들을 설득해보았지만 허사였고 둘은 그야말로
눈물을 머금고 헤어질 수밖에 없었다. 그러고는 두달후 경미로
부터 결혼한다는 소식을 전해 들었다. 아마도 마음을 추스리려
고 서둘렀나보다 하면서도 그날 윤수는 밤새 술을 퍼먹고 그 다
음날 병원 응급실에서 눈을 떠야했다.

그런가하면, 그렇게 경미와 헤어진 뒤 들어온 맞선 자리에서 윤수는 바람을 맞았고 그때 등을 맞댄 자리의 여자도 역시 똑같은 상황이었다. 그렇게 동병상련이라고 둘은 합석을 했고 거나하게 술을 퍼마시고는 그날밤 모텔로 직진하였다. 그렇게 원나잇으로 헤어진 뒤 윤수는 그녀 은진을 잊고 지냈는데 한달후 그녀로부터 청천벽력같은 문자를 받는다. 임신했다는.

그렇게 다시 만난 둘은 서둘러 결혼 과정을 밟았는데 상견례를 코앞에 두고 은진이 접촉사고를 일으켜 유산이 되고 말았다. 아이는 또 가져도 된다고 그녀를 위로하고 설득했지만 그녀는 순전히 아이 때문에 결혼결심을 했던거라며 매몰차게 돌아서서 그 결혼도 깨져버렸다.

그 외에도 좀 끌리는 상대가 나타나서 연애에 들어가면 훼방꾼이 나타나거나 아니면 막판에 여자가 변심하거나 집안에서 반대해서 나이 마흔을 코 앞에 둔 윤수는 여태 혼자다.

해서 , 이번에도 안되면 아예 '비혼'으로 살기로 마음 먹은 것이다. 무엇하나 남에게 빠지는 것도 없는 자기가 허구한 날 여자 문제로 열패감에 시달리는 것도 싫지만 그러다보면 삶 자체가 부조리하게 여겨져 도대체 살맛이 나질 않았다. 그냥, 가볍게 연애만 하고 살자, 남자의 본능이 발동하면 그때그때 해소나 하면서,라고 그는 다짐한다.

만나기로 한 장소에 30분이나 늦은 여자는 앉자마자 "아파트 있으신가요?" 라고 묻는다.

이 여자봐라? 윤수는 더 볼것도 없고 끌것도 없다 싶어 있는 아파트를 없다고 거짓말 한다. 그러자 여자의 얼굴이 금세 시무룩해지더니, 실은 자기가 조그만 오피스텔을 하나 갖고 있으니 일단은 거기서 시작하는 게 어떻냐고 한다. 어라? 이 여자 뭐지 하고는 '그게 좀 그렇지 않나요? 아무래도 집은 남자가'하자 여자가 생긋 웃어보이며 '요즘 그런게 어딨어요'라며 가방에서 콤팩트를 꺼내더니 마치 오래 된 사이처럼 내놓고 화장을 고친다. 이 여자 좀 신기하네..하며 윤수는 조금씩 그녀에게 끌려든다.

홍성은. 그녀는 아파트 단지 상가에서 동창과 피아노학원을 운영하고 있다고 했다. 코흘리개들 가르치면서 언제 오피스텔은 샀을까, 윤수는 그게 궁금하다. 윤수가 그런 눈치를 보이자, '학원 수입은 얼마 안되고 따로 과외를 해요..입시과외'라면서 그녀가 웃는데 그 모습이 윤수의 애간장을 스르르 녹인다. 순간 그는 한동안 억눌렀던 남성의 본능이 되살아남을 느끼고는 당장 그날밤 이 여자를 가져야겠다 생각한다. 해서 저녁을 같이 먹고 여자가 헤어지는 인사를 하려 할 때 바래다주겠다고 떼를 쓰다시피 한다. 성은은 괜찮다고 계속 사양했지만 결국에는 윤수의

54/233

차에 올랐고 그렇게 둘은 성은의 오피스텔이 있는 일산으로 향했다.

오피스텔에 들어서자마자 자신을 안으려는 윤수에게 성은은 처음엔 완강히 저항을 하였지만 이내 그를 받아들인다. 마치 결혼을 약속한 사람들처럼 느긋하면서도 격정적인 섹스를 마친 뒤 윤수는 '결혼합시다'라고 말하고 성은의 반응을 살핀다. 그러자 그녀가 배시시 웃는다. '한번 잔 걸로 뭔 결혼?'하는 표정을 짓는다. 이러다 이 여자를 놓치겠다는 생각이 든 윤수는 '실은 마포에 20평대 아파트가 자기 명의로 하나 있다'고 털어놓는다. 그말에 성은은 뚫어지게 윤수를 쳐다보지만. 가타부타 그 어떤 말도 하지 않는다. 이 여자, 내가 맘에 안드는구나,라고 판단한 윤수는 마지막 무기를 들이댄다. 요즘 여자들이 애 낳는걸 싫어한다는 설문조사를 언젠가 읽은 기억이 난다. 해서, '애는 없이 살아도 된다'라고 힘을 주어 말한다. 그말에 성은은 눈이 휘둥그레지더니 '정말요?'하고 묻는다. 통했다! 윤수는 속으로 쾌재를 불렀다.

윤수는 그래도 상견례는 해야 하니 다음 주말에 하자고 우긴다. 성은은 너무 빠르다고 하지만 이 기회를 놓치면 다시는 결혼의 기회가 없어보여 윤수는 굽히지 않았고 결국 1주일후 양쪽 상견례가 이루어졌다. 양가 부모 모두, 자식들에게 애인이 있는줄 몰랐다며 놀라했다.

그리고는 예식을 한달 뒤로 잡고 둘은 거의 매일 만났다. 처음엔 좀 데면데면해 하던 성은도 차차 그를 받아들였고 그의 품을 편안하게 여기는 눈치였다. 이번엔 성공이라는 생각이 그를 스칠 즈음, 성은이 조심스레 말을 꺼낸다

"실은 예전에 한번 갔다왔어요"라고.

그말에 윤수는 뒤통수를 한대 맞은 듯하다. 분명, 소개를 주선한 대학선배 지원의 말에 의하면 '참한 아가씨'였는데 '아가씨'가 아니라는 얘기가 아닌가..

"아...그랬군요"라고 윤수는 자기도 모르게 말을 높이고 있다. 이미 거리감이 생겨버린 것이다.

"그리고...애도 하나 "라는 성은의 말에 윤수는 기함을 한다. 결혼을 했으면 부부관계라는 걸 했을테고 그러면 아이가 생기는건 지극히 당연한 건데도 윤수는 그 '아이'까지는 받아들일 수 없다는 생각이 든다...

"아이가...있었군요"그는 이미 모든 기대와 희망을 내려놓은 투로 말을 한다.

"윤수씨 마포 그 20평대 아파트면 우리 셋은 충분히..."라고 성은이 말을 끝내기도 전에 윤수는 업무를 처리하지 못한게 있다

며 서둘러 가려고 한다.

"실망했군요 나한테"라며 그녀가 멀찍이 떨어져 않는다. 그렇게 석고상처럼 굳어버린 그녀를 두고 윤수는 서둘러 오피스텔을 나와 자기 차에 오른다...

내 팔자에 무슨...것도 무슨 처녀장가를 간다고...하며 그는 거칠게 차 시동을 건다. 그러고 있는데 보조석 창문을 똑똑 두드리는 소리가 난다. 그가 옆을 보자 성은이 울먹이며 애원한다. "한번만 봐주면 안돼요?"라고.

그날 그녀가 보인 눈물이 설령 악어의 눈물이라고 해도 그는 이제 그녀의 과거 따위는 묻고 가기로 하였다. 어찌되었건, 이번이 마지막이라는 생각이 그를 떠나지 않았기 때문이다. 그가 장가라는 걸 가서 애를 낳고 가정을 꾸리고 남들처럼 살 수 있는 마지막 기회라고 생각돼서 예정대로 결혼을 추진했다. 예식 열흘 전 세를 내보내고 부분소리를 한 뒤 입주 청소까지 마친 그 마포 아파트를 성은에게 보여주자 그녀는 함박 웃음을 웃으며 좋아라 하였다. 내 자식 낳고 살면 되는거다,라고 그는 자신을 추슬렀다. 그리고 그 다음날 빈이라는 그녀의 아들을 만났다. 성은은 '새아빠'라고 그를 소개했고 아이는 수줍어했다.

신부가 늦어도 너무 늦는다는 생각이 든다. 예식이 시작될텐데.

해서 윤수는 축의금을 내며 덕담을 해오는 하객군단을 부모에게 맡기고 저만치 구석에 가서 성은에게 전화를 건다. 그러나 성은의 전화는 꺼져있다. 이 무슨 뜻일까...이번에도 얼그러지는 걸까 그러고 있는데 그에게 문자가 날아온다.'미안하다'고. '자신은 자격이 없다'고.

그말에 윤수는 화가 치민다. 그리고는 느릿느릿 내려오는 엘리베이터를 포기하고 비상구로 7층을 뛰어내려간다. 그리고는 주차장에 세워져 있는 자기차에 올라 다급히 시동을 건다...

성은은 드레스차림으로 오피스텔에 웅크리고 있다. 불도 켜지 않은채...

도어락 비번을 누르고 허겁지겁 그가 들어서자 그녀는 잠시 그를 보더니 이내 고개를 돌려버린다.

"당신이 내켜하지 않는거 같다"면서 그녀는 드레스를 벗으려 한다.

윤수는 그녀를 덥석 포옹하며 "사랑한다"고 자기가 생각해도 신빙성 1도 없는 말을 내뱉는다. 그러자 그녀가 그의 품에서 빠져나오며 피식 웃는다...

그 미소의 의미를 그는 알 수가 없다...

그러더니 그녀는, 자신은 한번도 결혼한 적도 없고 아이도 없고 그때 나온 빈이는 언니 아들, 즉 조카라고 한다. 그말에 윤수는 무슨 상황인지 파악이 안된다. 당신이 하도 서두르길래 한번 떠봤다고 그녀가 말한다. 그의 마음이 진심인지 알고 싶어서...그리고는 그녀는 결심한듯 말을 이어간다. 한달만 만나보자고. 그 말의 의미 역시 윤수는 알 수가 없다. 한달, 서로에게 시간을 주어가면서 천천히 알아가자고 그녀가 말한다. 그러더니 '어쩌면 당신을 사랑하게 될지도 모르겠다'고 덧붙인다. 그말에 윤수는 와락 그녀를 안는다. 필요없다고. 한달의 유예기간따위는 필요없다고. 이미 당신을 사랑한다고 한다.

보조석의 성은이 멀미가 난다고 해도 그는 이미 늦어버린 예식이라 최대한 속도를 높일수밖에 없다.

그러다보니 저만큼 예식장이 눈에 들어온다. 지금쯤 양쪽 하객이며 부모들이 당황해 할 걸 생각하니 우습기도 하고 서둘러야했다. 차에서 내린 그는 덥석 성은을 안아 들고 7층까지 뛰어올라간다. 그의 품에서 발버둥치는 성은에게 그가 살짝 입을 맞춘다. 그러자 성은은 마치 아기새처럼 그의 품을 파고든다.

<그 사랑의 행방>

주호는 핼쑥해보였다. 확실히 1주일의 입원과 시술이 체력에 데미지를 불러 온 게 확실했다. 난데 없이 '문병 오라'는 그의 전화를 받고 혜미는 한참을 고민하다 병원으로 차를 몰았다. 그리고는 들어선 6인실 병동...저만치 끝자리 창가에 그가 누워있다.

"왔어? 왜 빈손이야?"라며 그가 그녀를 살며시 타박한다.
헤어지고 두달만의 만남인데도 그는 여전히 스스럼이 없다.
"몸은...괜찮구?"라며 그녀가 묻자
"뛰다 말다 하지 뭐"
그는 심장이 안좋다.

그렇게 이야기를 하고 있자니 간호사가 다가와 "보호자 되시나요?"라고 혜미에게 묻는다. 그러자 주호가 "옛날 애인"이라고 대신 대답한다. 그말이 맞긴 하지만 혜미는 불쑥 자신이 괜히 왔다는 생각이 든다. 그 말을 들은 간호사가 상황파악을 했는지 , 네, 하고는 주호의 링거를 봐주고 이내 자리를 피해준다.

"퇴원은 언제야?"라고 혜미가 묻자 "내일 봐서 할 거같아 별일 없으면"이라고 그가 답한다.

"어떻게...지냈어?"라고 하자 주호는 "뭘 물어 다 알면서"라며 그가 마른 세수를 하는데 링거꽂은 손이 잔뜩 부어올랐다

"링거 바꿔야겠는데?"라며 혜미가 간호사를 부르러 가려고 하자 "그만둬. 이게 마지막 링거라고 했어"라며 그가 그녀의 팔을 잡는다.

얼마만의 스킨십인가 싶어 그녀는 약간 긴장이 된다.

주호가 물어온다. 그 검사와는 잘돼가냐고.

그말에 혜미는 입가에 미소가 번진다. 두달전 서로 악다구니를 써가면서 헤어질 때 혜미는 거짓말을 하였다. 안그래도 친구하나가 검사를 소개시켜 주기로 했다고. 그 말에, 무명작가인 주호가 상처받기를 바라면서.

혜미는 더이상 거짓말 할 필요가 없어진거 같아 "그냥 뭐...처음부터 검사같은건 없었어"라고 말하자 주호는 "이게?"라며 한손을 치켜든다..

"하지 마"라고 그녀가 응수하면서 둘은 다시 예전으로 돌아간 느낌이다.

서로 싸운 다음 등을 보이고 누웠다가도 슬쩍 한쪽이 다시 돌아누우면서 뒤에서 안아오던....

하지만 그 사랑을 너무 오래 끌었고 '상황이 좋아지면'이라는 주호의 말은 점점 효력을 잃어갔다. 한번에 목돈을 쥐어보겠다는 생각에 여기저기 문학상에 응모를 했지만 번번이 낙방하면서 그의 낙담은 술로 이어졌고 어떤 때는 '바람'으로 이어지기도 하였다.. 그러나 얼마 안가 둘은 마치 '운명의 상대'라도 되는양 다시 만났고 같이 잤고 같이 여행을 다녔다. 그러나 그것도 시들해지면 서로 짜증을 냈고 서로를 할퀴다 또 헤어지고 이런 과정을 반복하다 두달전, 이제는 마지막이라 생각하고 그녀가 '우리 혼인신고라도 하자'라고 했을때 주호가 "안한다"고 단정적으로 말해 둘은 결국 마지막이라 여겨지는 결별을 한 것이다.

그러고나서 하루이틀 혜미는 훌쩍훌쩍 울기도 하였지만 시간이 흐르면서 고요하게 자신의 마음이 가라앉는 걸 느끼면서 '이 사랑도 명이 다했구나'라는 생각에 빠졌다. 그건 주호도 마찬가지였는지 별다른 연락 없이, 문자 한통 없이 둘은 두달을 보내다 그의 입원으로 이렇게 다시 만난 것이다.

혜미가 살며시 그의 링거꽂은 손을 쥐어본다. 차다...그의 손은 언제나 찼다. 그래서 브래지어 끈을 풀어줄 때면 "차가워"라며 그녀가 짜증을 내기도 하였다.

"자기 퇴원하면 한약좀 먹자"라는 말에 주호가 "우리 헤어졌어"
라며 냉담하게 말한다.

"그럼 나 왜 부른거야?"라고 혜미가 묻자 "그냥..부를 사람이 없
더라고. 다른 사람들은 죄다 문병도 오고 하는데 나만..."
그말에 혜미는 발끈한다. "그렇다고 보고싶지도 않은 사람 오라
가라 한거야?"라고 화를 내자 주호가 씩 웃으며 그녀의 얼굴을
매만진다. 그렇게 혜미의 얼굴 전체에 냉기가 번져간다..그러고
보면 지난 두달 동안 이 냉기를 어쩌면 그리워했을지도 모른다
는 생각이 든다.

"내일 퇴원때 와? 말아?"라고 혜미가 묻자 "니 좋을대로"라면서
그가 끙, 하고 등을 보이고 돌아눕는다. 순간 다시 '이 남자 날
여태 좋아하긴 하는 걸까'라는 의문이 스치지만 혜미는 묻지 않
기로 하고 담요를 끌어올려 주고 "연락할게"하고 병실을 나온다.

그리고는 병원 주차장쪽으로 향하는데 늦눈이 내린다..
우리 사랑은 여전한 걸까..잠시 생각에 빠진 그녀가 자신의 차에
올라 시동을 걸 즈음에는 이미 주호가 아닌 , 하다말고 온 번역
으로 생각이 넘어간다 그녀는 어서 들어가 번역을 마쳐야겠다는

생각에 페달을 힘껏 밟아 병원을 빠져나간다.

<그녀의 웨딩>

도연은 이 결혼식에 정말 가기가 싫다. 동창들 중 제일먼저 결
혼 테잎을 끊은 자신이 간 지 1년만에 이혼하고 본가로 들어온
걸 알만한 동창들은 다 알고 있는터라 자신의 얼굴이 비치는 순
간 그들 마음에 일 그 숙덕거림이 정말 싫었다. 그냥 안 맞아서,
라고만 했지, 신혼여행때부터 보인 그의 폭력을 견디지 못해 이
혼한 걸 그들은 알지를 못한다.
그래도 자신이 받은 축의금도 돌려줘야 하고 해서 마지못해 식
에 가기로 한다. 물론, 입금만 해도 되지만 그랬다가는 뒷말이
무성할 거 같아. 차라리 얼굴 도장을 찍고 오는게 속이 편하다
는 생각에 이른다. 그렇게 그녀는 결혼식 1시간 전까지도 마음
을 정하지 못하다가 뒤늦게 서둘러 나갈 채비를 한다.

그렇게 식장에 도착한 그녀는 일단 축의금을 내고 으레 하듯이
신부대기실로 향한다. 지금쯤 하객들에 둘러싸여 함박 웃음을
지으며 사진촬영을 하고 있을 해은에게 얼굴도장만 찍고 올 참
이었다 그래도 해은은 이뻐도 너무 이뻤다.
대학때도 과에서 단연 탑의 미모를 자랑했던 해은이 신부드레스
에 티아라까지 머리에 앉으니 더할 나위 없이 아름답고 우아하

였다.

"축하해"라며 도연이 신부대기실로 들어서자 해은이 살짝 눈을 흘기더니 이내 미소를 짓는다. 이혼후 뒷말 나오는걸 꺼려 동창회에 전혀 얼굴을 보이지 않았던 탓이리라...기집애..하며 해은이 도연의 손을 살짝 잡는다.. 그렇게 둘은 터지는 사진기사의 플래시 세례를 받고서야 헤어진다.

그렇게 신부대기실에서 나와 곧바로 홀을 걸어나오는데 "도연아!"라고 부르는 남자의 목소리가 들린다. 도연은 그대로 귀가할 생각이었으므로 약간 짜증이 일었다. 하지만 그 표정으로는 차마 돌아볼 수가 없어 가식적이나 미소를 띄고 뒤를 돌아다보니 재훈이었다. 재수끝에 들어와서 동기들보다 한살 많았던. 재훈은 재학때 a대 여학생과 결혼을 해 아이까지 얻었다. 그래서 그걸로 무척 놀려먹었던 생각도 나고 해서,도연은 깡충깡충 뛰듯이 그에게로 달려가 허그를 한다.

"야, 오바하지마"라면서도 재훈은 그런 그녀가 싫지 않은 눈치다.
"이따 끝나고 우리 뒷풀이 하는거 알지?"라는 말에 도연은 짜증이 밀려온다. 이제 본식은 물론 피로연에 이어 동문들 뒷풀이까지 코가 꿰어버렸으니...
"나 오늘 스케줄,"까지 말했을 때 재훈이 말을 자른다. "예외없음".

부친의 손을 잡고 신부입장을 하는 해은의 배가 살짝 불러있는 게 눈에 들어온다. 그걸 가리기 위해 가슴 윗쪽에 셔링처리를 하였고 그 밑으로 곧바로 떨어지는 라인의 드레스를 입었지만 그래도 알만한 사람은 다 아는 듯했다. 그리고는 이어서 여기저기서 수근대는 소리가 들렸다. 그중 "결혼하면 된거지"라는 말이 들려오기도 한다.

해은은 동창중 제일 늦게 시집을 가는만큼 깐깐하게 상대를 고른 느낌을 주었다. 상대는 로펌소속 변호사라고 하였고 180쯤 돼보이는 큰 키에 마른 체격에 금테 안경을 써서 '창백한 인텔리'느낌을 물씬 풍겼다.

요즘은 주례를 생략하는 추세라는데도 주례를 맡은 대학의 은사인 나이 지긋해 보이는 그 노인은 끝이 나지 않을거 같은 주례사를 읊어댔고 하객들은 슬슬 자리를 뜨기 시작했다. 피로연 뷔페에 늦게 가는 날에는 먹을게 없다는 걸 너무도 잘 알고 있었기 때문이다.

해은과 사진 한컷만 찍고 오기로 하였던 도연은 그날 본식에 이어 피로연, 그리고 재훈이 말한 동창들 뒷풀이까지 끌려다니고는 자정이 다 돼 택시에 올랐다. 재훈이 대리기사를 불렀다며 같이 가자는 걸 그녀가 애써 뿌리쳤다. 그렇게 헤어지는데 재훈이 "너, 내가 사람 시켜주랴?"라고 슬쩍 의향을 떠본다.

"혼자 산다 나"하고는 콜한 택시가 저만치 다가오자 도연은 살짝 손을 흔들어 보이고 택시에 오른다.

그렇게 그녀가 잔뜩 지친 몸으로 택시에 오르자 차 안 난방이 그녀를 나른하게 만들고 이내 잠에 빠뜨린다.

그리고 눈을 떴을땐, 어느 외곽의 폐가 근처였다. 택시 기사는 저만치서 등을 보이고 오줌을 누고 있다. 도연은 얼른 상황 파악이 안돼 어리둥절해 하다 기사가 소변누기를 멈추기 전에 그곳을 빠져나가야 한다는 생각이 뒤늦게 들어 죽어라 내달리기 시작했다

"야!"하고 부르며 기사가 따라 오는게 느껴졌지만 그녀는 넘어지면서, 신발이 벗겨지면서도 쉬지 않고 계속 달려 결국 큰길에 다다랐고 마침 오는 트럭을 세워 냅다 올라탔다. 그러자 그녀를 뒤쫓던 기사가 땅에 침을 퉤뱉어대는 게 보였고, 그녀를 태운 트럭기사는 갑자기 벌어진 상황에 잠시 혼란스러워 하더니 이내 상황을 파악하고 다시 차를 몰기 시작했다.

"밤에 여자 혼자 택시 타는게 어딨어요"라고 그가 말한다.

"택시...탄건 어떻게 알았어요?"라고 도연이 묻자. "아까 쫓아오던 남자가 기사옷을 입고 있어서.."라며 그가 말끝을 흐렸다. 하긴, 밤에 노란 유니폼이면 눈에도 잘 띄었으리라는 생각이 든다.

"추우면 난방하구요"라며 남자가 말을 한다.

"딱 좋아요. 아까도 난방때문에..."하는데 재채기가 튀어나온다..

"어디세요 댁이?" 그가 난방을 틀며 묻는다.

"'아뇨...택시타면 돼요. 저기 앞에 세워주심"하고 그녀가 말하지만 그는 그런 그녀가 미덥지 못한지 그녀의 집이 있는 신림동으로 방향을 잡는다.

그의 옆모습을 물끄러미 보던 도연의 표정이 순간 놀람으로 급변한다. 그리고는, "너, 윤우 아냐"라며 그녀가 상기돼서 묻는다.

"어? 맞는데..." 하던 윤우가 "너, 도연이구나"라고 한다.

그렇게 기묘하게 어릴적 동네 친구를 만났다는게 너무나 신기하고 묘했다. 그리고는 거의 동시에 "이게 얼마만이냐"라며 반가워했다.

동네 친구인 만큼 서로의 부모며 서로의 형편, 가족관계도 훤히 꿰고 있어 둘의 이야기는 타임머신을 타고 마구마구 과거로 돌아갔다. 그러다 둘다 이혼했음을 알고는 , 이번에도 거의 동시에 "넌 왜"라고 서로에게 묻고는 깔깔 웃는다.

"이놈이 허구한날 패는거야. 연애땐 한번도 안 그랬는데"라고 도연이 대답하자

"이 여자, 알고 보니 남자가 있는데 나한테 와서도 녀석을 계속

만났드라구..."라면서 윤우는 자신의 이혼사유를 밝힌다.

"넌 어쩌다 트럭 몰게 됐어?"

"응...작게 사업했는데 망했다"라고 윤우가 한손으로 머리를 긁적인다.

"차 세우고 밤새 하는 해장국집이라도 갈까?"하고 도연이 조심스레 운을 떼자 "좋지"라고 그가 답한다.

도연의 재혼에까지 축의금을 내느냐 마냐로 동창들은 부지런히 메시지며 전화를 걸어대고 난리다.. 그러다, 재혼인만큼, 서로 조금씩 갹출해서 선물을 사주기로 합의를 보았고 총대를 멘건 지난번 결혼한 해은이었다 해은은 결혼 한달만에 파경을 맞았고 그와 함께 뱃속의 아이도 어딘가로 사라져버린 뒤였다.

신부 대기실에서 연신 웃고 있는 도연에게 그녀들이 달려들어 다음에 또 시집가면 그땐 축의금이고 선물동 없다는 협박을 해댄다. 알았어 알았어....

그러는데 신랑 윤우가 슬쩍 신부 대기실 안으로 고개를 들이민다. 그걸 본 도연이 들어오라고 손짓을 하자 그녀들도 덩달아 "오세요 신랑님!"하며 요란하게 윤우를 재촉한다.

그러자 멋쩍어 하며 윤우가 신부 바로 뒤에 가서 선다. 그러자 양옆으로 그녀들이 팔짱을 끼어온다.

"그 남자 내거야"라며 도연이 그녀들에게 눈을 흘기자 그녀들은 팔짱 낀 손을 슬쩍 거둔다.

그리고는 사진사의 플래시는 계속해서 터져간다...

둘의 예식이 끝나갈 무렵, 하객속에 섞여있던 한 여자가 울며 뛰쳐나가는 게 신랑 신부의 눈에 잡힌다.

"아는 사람이야?"라고 도연이 묻자 윤우의 얼굴이 어두워진다 "전처"라며 그가 흡, 하고 숨을 들이 마신다.

그렇게 둘이 행진을 하는 동안 여기저기서 플래시가 터지고 폭죽이 터지며 둘의 행복을 빌어주었지만 도연은 ,결혼을 한번 더 할거 같다는 예감이 든다. 윤우가 조금전 뛰쳐나간 전처 '그녀'를 계속 눈으로 좇는걸 보았기 때문이다.

<그대 있음에>

하영은 자신의 눈을 의심한다. 그가 죽다니...그것도 졸음운전으로.
그녀는 포털에 뜬 그의 부고기사를 보고 도저히 믿기지가 않는다. 그래도 기사 하단에 장례일정이며 장지까지 표기돼있는 걸 보면 정말 죽었나 보다,하는 생각이 든다.

그녀는 조문을 가나 마나를 놓고 한참을 고민한다. 그러다 유리문이 열리며 손님이 들어온 것도 모른다.
"저기..라떼 한잔"하는 소리에 뒤늦게 고개를 들어 그녀는 손님을 본다.
"네. 자리에 계심 제가 갖다 드릴게요"라고 하고는 그녀가 들어간 곳은 주방이 아니라 주방에 딸린 작은 방이었다.

그녀가 그로 인해 막대한 물질적,정신적 피해를 입고 오갈 데가 없을때 당시 이 까페를 하던 친구 지원이 자기일을 도우며 지내라던 그 방이다.

그녀는 방에 들어서자마자 그대로 쓰러져 눕는다. 그러나 눈물은 나오지 않는다. 그럼에도 그녀는 어디로 가야 할지를 몰라 서성이는 길모퉁이 나그네 같다.

헌기준.
막연히 글을 쓰고 싶다는 생각에 모 신문사에서 운영하던 창작 아카데미에 등록을 한것이 그를 만나게 했고 강의가 끝나고 몇 번의 뒷풀이를 계기로 둘은 가까워졌으며 봄비치곤 사나운 비가 내리던 어느날 밤, 둘은 기준의 자취방에서 한 몸이 되었다.
"사랑해?"라고 물으면 "유치하게 뭐 그런걸 물어"라며 그는 모로 돌아눕곤 하였다.
명색이 작가 와이프가 될거면 자기도 작가 언저리라도 가자,라는 심정으로 그녀는 창작에 몰두했고 그러다 모 문예지 신인상에 응모해 당선없는 가작으로 덜커덕 등단이란 걸 하게 되었다.
"니 글은 글이 아냐"라고 싸늘한 반응을 보였지만 기준도 내심 좋았는지 그날 밤, 치킨 두마리를 사들고 그녀의 원룸을 찾아왔다.

기준은 "이번책 판권만 팔리면.."이라며 에둘러 그녀에게 청혼을 하였고 그녀는 오랜 시간 이미 그의 아내라고 여기며 그를 대했

기에 지극히 자연스럽게 받아들였다. 그래서 그가 뒤늦게 대학
원을 가겠다고 했을 때 아무말 없이 그 학비를 대주었고 차를
바꿔주었고 널따란 오피스텔로 옮겨주기까지 하였다. 자신은 낮
에는 공장에 다니고 밤에는 글을 쓰면서...

기준은 대학원 2학기때 이미 학부 강의를 맡았고 따르는 여학생
도 꽤 되었다. 그중의 하나가 결국은 하영의 연적으로 발전할
줄은 꿈에도 몰랐다.

그녀는 기준이 하영을 안고 잠들어있는 시각에도 거리낌 없이
전화를 걸어와 만나자고 하였고 기준은 처음 몇번은 거절을 하
더니 급기야는 붙잡는 하영을 뿌리치고 그녀를 만나러 나갔다.

뒤에 알게 된 바로, 그녀는 기준이 적을 두고 있던 문학과 s교
수의 차녀였다.

"나도 빽이라는게 필요했어"라며 기준은 울며 붙드는 하영에게
이렇게 변명하고 다시는 만나지 않는다고 하였지만 결국 그는
교수 딸과 약혼에 이르렀고 그날 하영은 자신의 손목을 그었다.

뒤늦게 그런 그녀를 발견한 여고동창 지원이 아니었더라면 그녀
는 이 세상 사람이 아니었을 것이다..

그런 기준이 죽었다고 한다...

그 교수딸과는 결혼직전에 모종의 일로 틀어져버리고 해서 학
위를 마치는대로 금방 조교수로 발령이 날줄 알았던 기준의 꿈

은 산산조각이 났다 . 이후 그는 다시 하영에게 연락을 해왔지만 하영은 냉담하게 거절 의사를 밝혔다.

기준은 여기저기 시간강의와 강연을 다니며 생계를 이어나가는 눈치였다. 그러다보니 자신에게 든든한 울타리를 제공해주었던 하영이 그리울만도 했다

하영은 그렇게 그와 헤어진 후 간간이 그의 신간 기사를 보거나 우울하고 그가 그리울땐 포털에 그의 이름 석자를 쳐보기도 하였다. 그렇게 흐른 세월이 10년이다...그리고 그가 이젠 죽은 것이다.

그에 대한 아픈 기억으로 어서 그가 죽었으면 ,하고 바란적도 사실 여러번이다. 그리되면 지상에 더이상 없는 이를 그리워할 필요도 없어지려니 생각하였다.

고민끝에 그녀는 하루 까페문을 닫고 그의 조문을 가기로 하였다. 그리고는 검은색 정장 원피스를 갖춰 입고 밖으로 나온다 . 밖에는 봄을 재촉하는 비가 내리고 있다. 그런 가운데도 여전히 겨울 냉기가 묻어나 사람을 심란하게 만드는 날씨다. 그런 채로 그녀는 핸들을 잡는다.

그리고는 10년만에 영정사진 속 그와 마주한다. 그리도 자신을 갉아먹은 그 남자 기준은 뭐가 좋은지 활짝 웃고 있다.

"이제 좀 편해?"라고 그에게 묻는 그녀의 목소리가 떨려온다.

그때 "고맙습니다"라는 어떤 여자의 음성이 옆에서 들려온다. 고개를 옆으로 돌린 하영은 본능적으로 그녀가 '기준의 아내' 라고 생각한다.

두 여자는 가볍게 맞절을 한다. 전혀 예상을 못한 건 아니지만 정작 그의 아내와 맞닥뜨리자 그녀는 또다시 상심의 나락으로 떨어져버린다. 하영이 서둘러 장례식장을 빠져나오는데, 조금전 맞절을 한 그녀가 뒤따라 오면서, "혹시 이하영씨?"라고 뒤늦게 묻는다.

"오빠 컴퓨터를 정리하다 유서를 발견했어요"라는 말에 하영은 정신이 아찔하다... 오빠라니, 그리고 유서라니...그러면 자살이었다는 말인데...

"오빠한테, 아내분은 없었나요?" 결국 그녀는 묻게 된다.

"아뇨...오빠는 하영씨만...아니, 언니외에 다른 여자는 없었어요 . 자신의 오판으로 잃어버린 여자가 있다며 곧잘 눈물을 흘렸어요.."

그말에 하영은 아득해진다. 자신을 무참히 버리고 부와 권력을 좇던 그의 마음에 자기만이 존재했다는게 믿어지지를 않는다.

"장례 끝나면 다시 연락드릴게요. 오빠 말대로 해주고 싶어요.."

그렇게 장례가 끝나고 삼우제까지 끝난 다음 기숙이라는 기준의 그 여동생이 전화를 걸어왔다.

"아직까지 간간이 들어오는 오빠 인세가 있어요 그걸 언니한테 주라는..."하며 기숙은 기준이 남긴 유서를 보여준다. 그걸 읽어 내려가는 순간 하영의 가슴에 묵직한 통증이 느껴진다...

이렇게 갈 거면 한번만 더 내게 매달렸어야지,라는 생각과 함께 그녀는 흐르는 눈물을 주체하지 못하고 까페를 뛰쳐나온다.

봄은 올듯 말듯하면서도 가까이 와있었다.

비록 출력된 유서나마 그가 쓴 문장들을 곱씹으며 길을 건너던 그녀가 신호를 무시하고 달려오던 버스에 치는 광경을 목격한 행인들은 요란한 사이렌 소리를 내며 달려온 경찰에게 순전히 운전자 과실이라고 증언해 주었다...

기숙은 오빠 기준의 바로 옆에 하영을 안치해주기로 한다. 그렇게라도 하늘에서 못다 한 사랑을 이루라고...

<겨울밤의 세레나데>

아무래도 자기가 바깥일을 하는 동안 누군가 하나 정도는 사무
실을 지키고 전화도 받고 간단한 경리업무도 봐야 할 사람이 필
요하다는 생각에 기현은 구인 광고를 냈다. 그러자 띵동 금세
문자 알람이 울렸다. 광고를 본 구직자가 자신의 이력을 간단히
적어보냈다. 4년제 대학을 나온 35세 여자고 싱글이라고 적혀있
다. 나이가 마음에 조금 걸린 기현은 좀더 기다려보기로 하지만
월 180이라고 내건 급여 조건에 젊은 층은 그닥 흥미를 보이지
않는 느낌이다. 해서 그날 퇴근 무렵이 다 돼서 그는 문자를 보
내온 그녀에게 답문을 보낸다. 내일 면접을 보고 싶다고.

그녀는 약속한 바로 그 시간에 사무실 문을 똑똑 노크했다. 기
현은 ,시간 하나는 정확하다는 생각을 하면서 문을 열어주었다.
그녀는 얼핏 보기에 나이 마흔도 넘어보이는 초로의 느낌을 주
는 여자였다. 아...속으로 탄식이 흘러나왔지만 기현은 애써 내색
을 않고 커피 머신에서 커피를 한잔 뽑아 그녀에게 내민다.
그렇게 정작 마주 앉자 기현은 자신이 뭔가 실수했다는 생각이
강하게 든다. 하루 이틀 더 기다려보든가 월 200이라고 다시 내
놓을걸. 그러면 젊은층이 지원할수도 있었을텐데, 라는 생각이

든다.

그러고 있는데 여자가 육필로 써온 종이 이력서를 슬쩍 내민다. 나이는 35, 경력무, 컴퓨터 활용능력 하, 영어 능력 하, 라고 쓰여있다. 그리고 이름은 김혜경이고 서울에 살고 있었다.
기현은 나이가 많으면 경력이라도 있어야 하는데 그것도 아니고 요즘 필수인 컴퓨터와 영어능력도 없다는 생각에 어서 빨리 이 면접을 끝내야겠다는 생각만 든다.

그러자 혜경은 그런 기현의 마음을 읽기라도 한듯이 "저, 청소는 잘합니다"라고 하였다. 청소라고 딱히 할 것도 없던 기현은 허허 헛웃음이 새어나온다.
"저희 사무실은 뭐.. 크지도 않고 가끔 환기만 시키고 청소는 하루걸러 해주시면 됩니다. 보이시죠? 저걸로 그냥."하며 무선청소기를 가리켰다. 그러자 혜경은 "어머, 청소기가 다 있네요. "라며 신기해하였다.
나이가 있고 경력이 없고 비록 컴퓨터와 영어가 딸려도 외모라도 괜찮으면 봐줄 정도면 모르겠는데 그것도 아니었다. 하지만 요즘 '용모단정한 자'라고 광고를 냈다가는 쇠고랑 차기 딱 좋은 데다 그런 시대도 아니니 그냥 넘어가려 해도 영 내키지가 않는다.

그리고는 급여를 올려 다시 광고를 내기로 결심하고 혜경에게는 다시 연락하겠노라 하고 돌려본다.

그러나 사흘을 더 기다려도 구직자가 나타나지 않자 그는 책상 서랍에 쑤셔박은 혜경의 이력서를 다시 꺼낸다. 바로 전날 그 위에 커피잔을 놓았던터라 그부분이 누렇게 변색돼있다. 그걸 보자 괜히 그녀에게 미안해져, 뭐 어때, 청소라도 잘하면 되는거고, 은행 심부름 정도 잘하면 되지 싶다. 해서 그는 일단 한달만 써보자는 마음으로 그녀에게 전화를 건다.

혜경은 다음날 그나름 신경 쓴 매무새로 회사에 들어선다. 그날은 마침 외부 일정이 늦게 잡혀 기현이 사무실에 일찍 나와 밀린 업무를 처리하고 있었다.
"안녕하세요"라며 혜경은 쑥스러운지 먼발치에서 꾸벅 인사를 하였다.
"아, 오셨군요"하고 기현은 그녀가 쓸 책상을 가리킨다. 그러자 혜경은 다소곳이 그곳에 가서 앉는다. 그리고는 무슨 일을 해야하나, 두리번거리기 시작한다.
차라리 기현에게 와서 "뭐부터 할까요"라고 물으면 좋다는 생각이 들지만 그 정도의 숫기마저도 없었다. 그러자. 괜히 뽑았다는 생각이 그를 스쳐간다.

"저, 외근 나가야 하는데 혹시 팩스 오면 간단히 답해서 보내심 됩니다"라고 하자

"저, 팩스 다룰줄 모르는데"라며 그녀가 잔뜩 겁을 먹는 눈치다. 아...하고 또 탄식이 흘러나오는걸 기현은 간신히 참고 팩스사용 법을 알려준다. 그러나 그녀는 그 간단한 것도 한번에 익히지 못하고 몇번을 물어본다. 그러면서 "요즘 다 온라인으로 하지 누가.."라고까지 한다.

"여보세요!"라고 기현이 언성을 높이자 그녀의 눈에 눈물이 그렁 한다.

이 여자 뭐야...하고는 "죄송합니다. 아직 관공서나 회사 업무에 는 팩스 많이 씁니다"라고 나직이 다시 말하자 그녀는 눈물을 훔치며 "죄송합니다. 제가 너무 부족해서. 그냥 가겠습니다"하고 는 책상에 놓은 자기 가방을 집는 시늉을 한다.

그순간 기현은 자기도 모르게 그녀의 팔을 붙잡고는 무섭게 노려본다. 그러자 그녀가 큰 눈을 껌벅인다.

"실은 한번 결혼했었어요. 그런데 남편이 계속 바람을 피워서 결국 헤어졌어요"라며 그녀가 그 건물 1층 까페에 마주 앉자 묻지도 않은 이야기를 기현에게 털어놓는다.

하기사 , 이혼력까지 이력서에 쓸 필요는 없고 요즘 세상에 그

런거야..하고 기현은 조금전 자신이 험악하게 그녀를 대한게 은근 미안해진다.

"그래도 생활비는 버셔야죠. 이왕 오늘 출근하셨으니 일주일이라도 근무해보시고 그때까지도 적응이 안되면..."이라고 하자 그녀의 젖은 눈이 반짝 빛을 발한다. 하고는 "일주일만 일해도 월급 주나요?"라는 질문을 한다. 기현은 또다시 뒤통수를 얻어맞은 기분이 돼서 "드리면 주급이 되겠죠"라고 말한다. "180을 4로 나눈 만큼을 드리게 되겠죠? ."했더니 그녀는 다시 시무룩해진다.

외근을 나와 거래처 사람과 미팅을 하는 동안도 기현은 이번 혜경의 채용이 완전 실패였다는 생각이 들지만 당장의 대안이 없어 일단은 정말 한 일주일간만 두고 보기로 한다. 그리고는 오후에 사무실로 전화를 걸자 혜경은 한참 울린 후에야 전화를 받아 "여보세요"라고 말한다.

해서 기현은 "전화받으실 때는 <맑음영상>입니다"라고 말하라고 알려주면서 이런거까지 내가 알려줘야 하나 하는 생각에 짜증이 치미는 걸 간신히 참고 "첫날이니 그만 퇴근하시죠"라고 한다. 그러자 혜경은 "고맙습니다"하더니 먼저 전화를 끊어버린다.

아무리 사회생활을 해보지 않았다 해도 이건 기본도 안돼있지 않은가,라는 생각에 기현은 당장 다시 구인광고를 내고싶다.

다음날 기현이 외근을 먼저 하고 사무실에 들어섰을 땐 혜경이 청소기를 돌리고 있었다. 평소에도 그 소리를 싫어한 기현은 짜증이 치민다.

"청소는 출근하면 곧바로 해주세요"라고 하자" 죄송해요"하며 상대는 금방 울상이 된다.

기현이 더는 자신의 감정을 속일 필요를 느끼지 못해 휴, 하고 한숨을 내쉬자, "커피 드릴까요?"라고 조심스레 물어온다. 지가 그냥 갖다주면 되는걸, 하는 생각에 그는 "제가 할게요" 하고는 커피 머신에서 한잔을 뽑는데 "저도 한잔 부탁드려요"라고 그녀가 바로 뒤에서 말한다. 이건 뭐야? 하고 돌아보자 그녀는 순진무구한 웃음을 지어보이고 있다. 웃는 얼굴에 침 뱉을수도 없고.

다음날 출근 전 밖에서 회사로 전화를 걸자 "<맑음영상>입니다"라며 혜경은 기현이 가르쳐준 멘트를 날린다. 그는 왠지 피식 웃음이 나오는 걸 꾹 참고 "팩스 온 거 없나요?"했더니 "잠시만요"하고 확인하는 눈치다. "그런데 사장님...영어로 왔네요"라고 그녀가 잔뜩 겁먹은 소리로 말을 이어간다. "이탈리아 거래처예요. "라고 그가 말하자 "이거 제가 답장해야 돼요 영언데...?"라고 물어온다. 그말에 기현은 전화에 대고 냅다 소리를 지른다. "당신, 이러면서 돈벌겠다고 나오는거야?"라고. 그러자 저쪽이 한참 말을 안한다. 그렇게 꽤 긴 침묵이 오고가더니 "저 오늘 그만 둘게요.. 그래도 청소는 해놓고 갈게요. 돈은 안주셔도 됩니다" 라고 잔뜩 풀이 죽은 그러나 의미는 분명한 소리로 그녀가 말한다.

"오너한테 싫은 소리좀 들었다고 그렇게 무책임하게 그만두는게 어딨어요"라는데 통화가 끊어진다. 이 여자 뭐야 도대체...라는 생각에 그날은 바깥일도 제대로 되지를 않는다.

다음날 일찍 기현은 혜경이 정말 그만뒀나를 확인해야겠다는 생가에 일찍 사무실에 들어선다. 예상대로 그녀는 나오지 않았다. 순간 그는 찌릿한 무엇이 자신의 가슴을 스치고 가는걸 느낀다..그녀에게 마음 한번 준 적도 없는데 ...그리고는 안쪽 자신의 책상으로 향하는데, 처음이자 마지막으로 혜경은 기현의 책상 정리를 깔끔해 해놓은 게 보인다. 한치의 흐트러짐도 없이 그녀는 책상을 정리했고 걸레질까지 했는지 먼지 한톨 없다. 순간 기현은 맥없이 털썩 자리에 앉는다. 아...하고 예의 탄식인지 한숨인지 모를 그 소리가 새어 나온다...

그러다 컴퓨터를 켜고는 새로이 구인광고를 작성하는데 저만치 비어있는 그녀의 책상이 눈에 들어온다. 그러자 그는 더 이상 광고 문안을 작성하지 못하고 그녀의 빈 책상으로 간다. 그리고는 무심코 책상 서랍 하나를 열어보자 a4 종이 여러장이 겹쳐져 있는게 보인다. 꺼내서 보니 그녀가 아마도 이탈리아에서 온 팩스 답장을 연습한 내용같다. 그녀는 서툰 영어로 제법 긴 문장을 몇번씩이나 고쳐가며 써두었다. 하지만 자신이 없어 답을 하지 못한 것이다...그걸 보자, 그는 코끝이 찡해온다. 이혼녀에 서른 중반, 외모도 그저그런, 경력없고 외국어 기본도 안 돼있는 여자라는게 더더욱 그의 마음을 시리게 한다.

문밖에 것도 다늦은 밤에 기현이 서있는걸 보고는 혜경은 크게 놀란다. 그리고는 떨리는 목소리로 "들어오셔서 커피 한잔"하는데 기현이 불쑥 무언가를 내민다. 그걸 본 혜경은 회사 근처 영어학원 수강증임을 알아차린다. 그리고는 얼굴이 벌게진다.
"그깟일로, 내가 뭐라고 좀 했다고 회사를, 밥줄을 때려치는 게 어딨어요? 그렇게 물러서 어떻게 살아요?"라며 그가 버럭 소리를 지른다. 그말에 혜경은 "죄송...합니다"라며 또 울먹거린다.
"당신 좀 있음 마흔이야. 꺼떡하면 울기나 하고.사회에선 그런거 안 먹혀요. 지지리 궁상짓좀 하지 말아요"라고 퍼붓는다. 그러자 혜경이 눈가를 꾹꾹 누른다.
"내일 정시에 출근해요. 안 나오면 정말 해고야!"라고 말하고 기현은 그대로 돌아서 계단을 내려간다. "저기.."하던 혜경의 웃음에 안도와 근심의 빛이 동시에 어린다.

원룸 건물을 나온 기현은 저만치 주차돼 있는 자기 차로 가면서 "현서"라고 중얼거린다...늘 흐트러진 머리에 남녀간의 연애심리에도 무지했던, 나이도 자기보다 두 살 많았던 그녀, 그녀 눈밑에 퍼져있던 기미며 잡티가 떠오른다. 기초화장조차 제대로 못하던..그런걸로 허구한날 지적을 해대고 결국에는 헤어졌던 게 이 순간 짠하게 다가온다. 그게 뭐라고...그런게 뭐 대수라고, 하면서 그는 차에 올라 시동을 건다. 그리고 출발 전에 그가 4층 혜경의 방을 올려다보자, 그녀가 창문을 열고 손을 흔들고 있다...아, 저 여자, 정말 못말린다며 혀를 차면서 그는 골목길을 빠르게 빠져나간다.

<고백>

기석은 이번에도 식장에 나타나지를 않는다. 벌써 두번째다...
신부 영주의 부모는 오지 않는 예비 사위를 기다리다 화가 나서
씩씩거리며 식장을 떠나버리고   여기저기서 하객들이 수군대는
소리가 들려온다.
"두번씩이나   바쁜사람 오라가라 장난도 아니고"라는 그들의 소
리는 신부 대기실 영주에게까지 들려온다. 이 결혼을 접어야 하
나..

결국 그날밤 영주가 모든걸 무르기로 결정하고   잠자리에 드는
순간 기석으로부터 메시지가 온다. 집앞이니 잠깐 나오라고.
그래, 한번은 봐야겠지,하는 마음에 영주는 잠옷위에 패딩 하나
를 걸치고는 아래층으로 내려간다. 그제서야 기석은 자기 차에
서 내리려 한다.
"아냐. 그냥 차에서 얘기하자. 어디 갈데도 없고 이 시간에"라고
영주가 말한다.

거래처 사람으로 안 지 2년만에 둘은 연애라는 걸 시작했고 이

87/233

러다 결혼으로 가려니 했다. 그리고는 별탈없이 상견례며 택일 까지 하고 턱시도와 드레스까지 다 정해놓고는 정작 예식일이 되면 신랑 기석이 식장에 나타나지를 않았다. 그게 벌써 두번째 다. 지난번에는 영주가 그럴듯하게 둘러대서 간신히 부모를 설 득했지만 이번에는 변명의 여지가 없었다.

"우리 끝내자"라고 영주가 말하자 기석이 "한번만...자신이 없어 서 그래. 내가 가장이 되고 가정을 끌어간다는게. 애 아빠가 돼 서 애를 책임져야 한다는 게"라는 말에 영주는 발끈 화가 치민 다. "누가 혼자 하래? 내가 있잖아!"라며 영주는 답답한듯 자기 가슴을 손으로 탕탕 친다. 그러자 기석이 영주의 두손을 꼭 쥐 며 "한번만...다음엔 꼭...그래, 내가 잘못한 거 알아. 너희 부모님 한테 면목도 없고..하지만 한번만 더 기회를 줘"라는 기석의 말 에 영주는 또다시 마음이 흔들린다. 그래, 삼세번이라는 말도 있 지 않은가...

두번씩이나 파투난 딸의 결혼에 영주 부모는 기석의 '기'만 들어 도 치를 떨었지만 영주는 기석이 '가정을 일구는데 겁이 나서 그 랬다'며 간신히 설득을 하였다. 그리고는 어렵게 세번째 택일을 하고 예식이 코앞으로 다가온 어느날 기석의 대학 동창이라는 종환으로부터 전화가 걸려왔다. 가끔 셋이 밥도 먹고 하는 사이 라 격의가 없다면 없는 사이였고 서로의 연락처 정도는 알고 있었다. 그렇게 영주는 점심 시간을 이용해 회사 앞 레스토랑으로 종환을 만나러 나갔다...

영주는 입이 떡 벌어져 할말을 잃는다. 아니, 마치 할 얘기를 다 잊어버린 사람처럼 머릿속이 하얘진다...
'우리 서로 사랑합니다'라는 종환의 말이 거짓말만 같다. 기석과 종환이 서로 사랑한다니...그러면..그래서, 결혼을 망설였구나 싶자 영주는 호흡이 가빠오며 가슴이 답답하다.. 그러더니 삐질삐질 식은땀까지 흐르다 정신을 잃는다.

영주는 근처 대학병원 응급실에서 의식을 되찾는다. 자기 팔에 주렁주렁 달려있는 링거를 보던 그녀의 시선은 저만치 어깨를 늘어뜨린 채 서 있는 기석에게로 향한다. 종환이 쓰러진 영주를 이곳으로 데려온 뒤 기석을 부른 모양이다.
"아니지?"라며 눈물이 그렁해서 묻는 영주의 질문에 기석이 그녀의 링거 꽂은 손을 꼭 잡아준다.
"미안해...내 마음을 나도 어쩔 수가 없어"
"그래서..예식장에 안 나타난 거야? 당신 게이라서?"라고 영주가 소리치자 옆의 환자며 보호자들이 힐끔거린다. 진풍경이라도 벌어진 양..
그때 응급의가 오더니 '잠깐의 쇼크였다며 이제 괜찮으니 퇴원하라'고 말을 한다.

그길로 병원을 나온 영주는 기석이 한사코 바래다 준다는 걸 뿌리치고 앱으로 택시를 부른다. 그리고는 기다리다 문득 생각난듯 "그럼, 다음번엔 식장에 온다는 것도 다 거짓말이었네?"라고 묻자 "너도 사랑해..."라며 기석이 대답한다. 양성애....라고 영주가 읊조리는데 저만치 콜한 택시가 서서히 다가오는게 보인다.

"분명해. 기석씨였어."

여고동창 미선의 연락을 받은 건 그로부터 한달 뒤, 겨울이 끝나가던 무렵이었다. 겨울신부를 꿈꾸었던 영주는 결국 기석과의 결혼을 포기해야 했고 '타고난 성향인데 내가 어쩌랴'하고는 겨우겨우 마음을 추스리고 일에 몰두하려고 노력했다. 그런데 미선이 아는 동생 결혼식에 가서 본 신랑이 기석이라고 말을 하는 것이다. 늦게 가서 먼발치에서 봤지만 기석이 틀림없었다고.

그소리에 영주는 '그사람 게이야..아니, 바이 섹슈얼'이라고 하자 미선도 입이 떡 벌어지며 ,설마,한다. 그러더니 잠시 뜸을 들인 뒤 미선이 조심스레 묻는다. '혹시 너 당한거 아니니?"라고 . 그 말에, 아...그럼..하고 영주에게서 탄식이 흘러나온다.

어떻게 헤어졌는지도 모르게 미선과 헤어져 방향도 잡지 못하고

무작정 걷던 영주는 기석에게 연락하지 않은게 꽤 오래 되었다
는 생각이 든다. 아닐거야,하면서 영주는 기석에게 전화를 걸지
만 , 차단되었다는 자동응답이 흘러나온다. 그러자 이럴 경우를
대비하기라도 한것처럼영주는 기석의 친구 종환에게 전화를 건
다.
"영주씨..."
"당신들, 짜고 거짓말한거야?"
영주가 속사포처럼 쏘아대자 종환은 한참 침묵하더니 "지금좀
보죠"라고 한다.

그렇게 영주와 종환은 차도 시키지 않은채 까페에 마주 앉았다.
"기석이 그 자식이 하도 부탁을 해서.."
"뭐라고 하든가요?"
"당신이 너무 잘해줘서 마음 아프게 할 수가 없다고..근데, 이젠
아무 감정도 느낄수가 없다고"라는 말에 영주는 할 말을 잃는다.
"그래서 게이라고, 아니, 양성애자라는 말까지?"
"그게 다 영주씨, 덜 다치라고 "
그순간 영주는 종환의 뺨을 후려친다. 그러자 까페 주인이 황급
히 다가와 둘다 얼른 나가라고 소리를 친다.

그렇게 까페에서 쫓겨난 둘은 초봄에 내리는 밤눈을 맞으며 우

두커니 길거리에 서 있는다. 그제서야 영주는 기석이 자신과 헤어진 지 고작 한달만에 다른 여자와 결혼했다는걸 사실을 깨닫게 된다.

"그럼 양다리였나요?"

"나머진...기석이한테 물어봐요"라며 그가 자리를 뜨려는데 영주가 강하게 그의 팔을 낚아챈다.

"따로 여자가 있으면서 나를 속인거냐구 묻잖아!"라는 그녀의 외침에 종환의 눈빛이 흔들린다...그러더니 그가 조심스레 그녀에게 다가와서 속삭이듯 그녀에게 묻는다.

"나는...안돼요 영주씨?"

영주는 종환의 난데없는 고백에 정신이 아찔하다...그리고는 그녀의 몸이 휘청인다. 그런 그녀를 종환이 재빨리 부축한다. 미쳤어 온통...하고는 그녀는 종환의 손을 뿌치리고 마침 다가오는 빈 택시에 무작정 올라탄다. 택시가 그 상태로 한참을 있는 걸 보면 그녀는 목적지조차 말하지 못하는 거 같다. 종환은 꽃망울이 터지고 있는 봄밤 속을 걸어가며 두어번 택시에 시선을 던진다. 뒤늦게야 영주를 태운 택시는 어둠을 가르며 출발한다.

<응언의 사랑>

'응언'이라는 민기의 여자 이름을 듣고 현희는 응? 하는 얼굴이 된다. 분명 한국 사람은 아니라는 얘긴데 그래도 외관상으로는 영낙없는 한국인이다.
어리둥절해 하는 현희에게 민기가 '베트남'이라며 알려준다. 아 그렇구나 하며 현희는 애써 침착하려 한다.

민기는 첫 결혼에 실패한 뒤 아이 하나를 낳았는데 그 아이는 전처가 키우고 있다. 그뒤 민기는 사업에만 몰두하다보니 어느 새 40중반이 되었고 그의 재력을 보고 '달려드는'여자들이 한둘이 아니었지만 그는 눈도 주지 않고 솔로를 고집했다. 그러던 그가 갑자기 '나 결혼해'라며 대학 동창인 현희에게 전화를 걸어와 현희는 온라인 발주를 넣다 말고 깜짝 놀랐다.
이혼후 오랜 기간 홀로 있어 아마도 전처에게 미련이 있나보다, 라고 여겨온 현희는 은근 자기와는 안될까, 가끔 머릿속에 그려보곤 하였지만 스무살 교정에서 만나 25년가까이를 친구로 지내다 보니 그것도 우습다는 결론을 내렸다. 그런데 그가 결혼한다니 왠지 그를 '뺏기는'느낌이다.

"저녁 살게. 인사도 시키고"라면서 민기는 얼른 자기 여자를 보여주고 싶어하는 눈치다. 현희는 옷장을 열고 가장 반듯해 보이는 정장을 차려입고 화장도 연하게 하고 차를 몰고 대학로로 향했다. 이따금 민기와 만나던 그 레스토랑으로.

그리고는 그 자리에서 '응언'이라는 여자를 소개 받은 것이다. 그녀는 첫눈에도 서른이 채 안돼보여 현희는 얼마전 읽은 뉴스 기사가 퍼뜩 스쳐간다. 다문화의 경우, 현지에 애인이 있으면서 그를 데려오기 위해 위장 결혼을 하고 일찍 이혼한다는..그런 경우가 아닐까, 은근 걱정이 되지만 차마 내색을 할수가 없어 그저 민기가 미리 시켜놓은 정식 세트를 먹는 시늉만 하는데 현희가 우려하는 부분을 알아차렸는지 '서른 둘'이라고 민기가 응언의 나이를 먼저 알려준다. 서른도 안돼보이는데 그래도 서른 둘이면...그래도 민기와 띠동갑이라서 현희의 우려는 가시질 않는다. 좀더 나이 먹은, 니 나잇대를 골랐어야지,라는 눈빛을 보내자 민기는 그것도 알아차리고 '어쩌다보니 그렇게 됐다'라며 쑥스러워 한다.

"저, 한국이 너무 좋아요. k팝,k드라마, 너무 좋아해요"라며 응언이 서툴지만 알아들을 수는 있는 정도로 한국말을 한다. 다들 저렇게 접근한다는데....현희는 웅언이란 여자의 뒷조사라도 해야 하는게 아닌가 싶다. 그러고 있는데 민기가 주문한 조각케익과 커피 석잔이 디저트로 세팅된다. 그걸 먹는 동안도 현희는 '이결혼 꼭 해야 돼?'라고 눈빛으로 여전히 민기에게 묻고 있다. '다시 생각하면 안돼?'라고.

"언니 이뻐요"라는 말에 현희는 웅언이 '이 문장을 어지간히도 연습했구나'라고 느낀다.

'웅언씨는 하는 일 있어요"라고 현희가 묻자 "간호사"라며 민기가 대신 대답을 한다. 그나마 '전문직'이라는게 현희의 우려를 조금은 가시게 한다. "어쨌든 축하해"라며 현희가 조금은 과장해서 웃어보인다.

그리고는 그들의 결혼식날까지도 현희는 참석여부를 고민한다. 그러다, 다 그런건 아니겠지,하고 현희는 얼마전 일부러 아울렛 매장에서 산 원피스를 차려입고 자기 차에 오른다. 그러나 주말이라 강남까지 길이 너무 막혀서 예식 시간에서 20분이나 지난 후에야 겨우 도착해 발레파킹을 시키고는 3층 예식홀까지 뛰어 올라갔다. 엘리베이터가 꽉 차서 그걸 기다리느니 뛰는게 낫다고 판단했다.

그렇게 올라간 예식홀에서는 말끔하게 차려입은 민기와 청초하게 아름다운 응언이 본식을 끝내고 이미 결혼행진을 하고 있다. 저여자 이쁘긴 하다...라는 생각을 하면서 현희는 열심히 박수를 쳐댔다. 그런 현희와 민기의 눈이 마주치자 민기가 조금은 어색하게 웃어보인다.

친구들 사진까지 다 찍고 뷔페홀로 가니 이미 음식이 바닥이 났다. 현희는 어느 정도 예상한 터라 그냥 집에 가서 먹지 , 하고는 돌아서는데 뒤에서 응언이 "언니, 미안해요 , 음식이 없어서"라고 제법 또박또박 우리말을 한다. 그동안 한국어가 일취월장한 응언에게 현희는 적잖이 놀란다. "괜찮아요"하는데 민기가 와서 "넌 안먹어도 되지? 다이어트 중이잖아"라며 짓궂게 웃는다.

그리고는 한달후, 민기와 응언이 갈라섰다는 소식이 들려왔다. 그것도 직접 전해들은 게 아닌 건너서 들은 이야기였다. 내 그럴줄 알았다,라는 생각에 현희는 어서 빨리 민기를 만나 사정을 들어야겠다는 생각이 들었다.

"내가 원했어 이혼"이라고 말하는 민기는 한달새에 바싹 야윈 느낌이다.

"그럴 필요없어. 요즘 이런 사례가 너무 많대"라고 현희가 위로하자 민기가 물끄러미 현희를 쳐다본다. 그러다 힘겹게 말을한다.

"너때문에"라는 그말에 현희는 어리둥절하다. 이게 무슨 소린가..

"마음이 접히질 않았어 너에 대한"

그런 민기의 말에 현희는 어찌할 바를 모른다. 그러다 뜨거운 커피에 혀를 데고 만다.

"무슨 얘기야. 우린 친군데"

"웅언이 신혼여행에서 그러더라. 지금이라도 무를수 있으면 무르라고"

"그여자 거짓말 한거야. 그런경우, 100프로,"

"아니, 우리 혼인신고도 안했어. 일단 살아보고 하자고 했어 웅언이. 서로 잘 맞나도 살피고. 그러니 이혼도 아니지, 그냥 헤어진거야"

그말은 그러면 한국 국적에 부여되는 모든 권리를 웅언은 얻지 못했다는 것이고 그렇다면 자신이 지레짐작과 편견으로 그녀를 보았다는 결론이 나왔다.

"왜 그랬어...내 말도 들어봤어야지 그럼"

"그렇게 됐다..."

그말에 현희는 아무 대답도 못하고 그 자리를 뜬다. 집으로 오는 차 안에서 그녀는 곰곰 생각해본다. 오누이처럼 여겨온 민기와 자신이 가능한가와 웅언의 사랑이 진심이었음을...

해서 그녀는 중간에 차를 돌려 다시 민기와 마주한다.

"그러지 마. 지금이라도 늦지 않았어. 웅언 아직 한국에 있으면 붙잡아. 혼인신고도 하고. 애낳고 살아. 다 그렇게 살아. 나, 남자 생겼어"라고 현회가 거짓말을 한다. 그 말에 민기가 잠시 당혹해하더니 생각을 고르는 눈치다. "미안해. 그런 마음 품고 있던거..."라고 그가 힘겹게 말을 한다.

"얼른가!"라며 현회가 등을 떠밀자 민기는 그제서야 웅언을 놓칠세라 황급히 밖으로 뛰어나간다.

"하나님, 저 둘이 꼭 맺어지게 해주세요"라며 현회는 믿지도 않는 신에게 기도한다. 그리고는 남은 레몬차를 반쯤 마시고 까페를 나서니 눈이 내리기 시작한다. 웅언과 민기의 결합을 축복하는 그런 눈이.

<겨울나그네>

정민은 이젠 아예 그녀의 다음 시나리오가 기다려질 지경이다.
근래 와서 거의 1주일 텀으로 보내오는 그녀의 시나리오에 처음
에는 '낯도 두껍다'라는 생각을 안한 게 아니다. 보통 한번 거
절당하면 그 영화사는 피하기 마련인데 그녀 김희연은 줄창, 죽
어라 공략을 해대는 것이다.
처음에는 시놉정도만 읽고 파기한 그녀의 원고를 이제는 그래도
본문의 반 정도까지는 읽게 되었다. 이러다 이 여자 원고로 진
짜 영화를 만들게 되는 건 아닐까,하는 생각마저 든다.

그러다 어느날 부턴가 그녀의 원고 투고가 멈추었다. 처음에는 '
지쳤겠지'하다가 '혹시 무슨 일이라도'하는 걱정이 들기 시작해
서 혹시 몰라 저장해둔 그녀의 폰 번호를 찾아본다. 한번 보자,
고 할까,하다가 영화를 만들 것도 아니면서 무슨, 하고는 포기한
게 여러번이다.

그녀는 작가 양력에 오로지 이름과 전화번호만 쓰고 그 외 어떤 것도 적어 보내지 않았다.

이러고 있는 동안 작가 기성이 웹툰을 각색했다며 들고 와서 그는 그의 시나리오를 읽기 시작한다.

최소한 손익분기점은 넘기리라 판단하고 그는 배급사 사장 k를 만나 원고를 넘겨주고 가부를 알려달라고 한다. 그렇게 차를 몰고 돌아오는데 눈이 내리기 시작한다. 아마 올겨울 마지막 눈이려니 한다.

그리고는 회사에 들어서서 컴을 켜자 오랜만에 김희연의 원고가 와있다.

"이 아줌마 안죽고 살아있었네"하면서 그는 그녀 특유의 간단한 시놉과 기획의도, 그리고 원고를 읽어내려간다...그러다 문득 한번 만나보기나 하자,라는 생각이 들어 숨을 고른뒤 그녀에게 전화를 건다.

그러자 한참만에 그녀가, 그녀일 것으로 추정되는 중년 여자의 목소리가 들려온다.

"여보세요..."

그녀는 목감기라도 앓는지 소리가 잠겨있다.

"안녕하세요. 여기는 영화사 파란풍선입니다"라고 하자 상대방은 "아..."하더니 한동안 아무말도 없다.

"한번좀 뵐까요?"라고 하자 상대는 대뜸 "제 걸로 가시나요?"라고 묻는다.

그 말에 딱히 그럴 것은 아니어서 정민이 대답을 못하자 "아니면 굳이 뵐 필요가..."하더니 상대는 일방적으로 전화를 끊는다.

뭐 이런 여자가 다 있어,라며 기분이 상한 정민이 폰을 책상에 내려놓는데 뭔가 싸한 느낌이 든다. 왜 이럴까?하다가 그는 그동안 그녀가 보내온 원고들의 공통점을 깨닫게 된다.

죄다 '한 여자의 고통스런 사랑과 이별'이 주제였다. 어찌 보면 너무나 통속적인 이야기들이어서 매번 제쳐둔 것도 있는데 다시 정독을 해보자,라는 마음이 든다.

그렇게 아직 파기 되지 않은 김희연의 원고들을 출력해 정민은 읽기 시작한다.

'이 여자 ,어지간히도 연애운이 없구나'하다가 그의 뇌리를 퍼뜩 스치는 한 여자가 있다. 그녀의 이름이..그여자 김...하다가 그는 읽고 있던 원고를 바닥에 떨어뜨리고 만다.

'맞아, 희정이었어... 김희정"

그 이름의 끝자만 바꿔 줄창 투고를 해온 걸지 모른다는 생각이 든다. 그러자 온몸의 힘이 다 빠져나가는 느낌이다.

언젠가 조감독시절 장소헌팅 차 갔던 남도의 한 마을에서 그녀는 까페를 작게 하고 있었다. 일을 일찍 마친 동료들이 먼저 서울로 떠난 뒤 정민은 그 까페에 들어섰다. 거기서 가까운 곳에 그녀 '해인'이 있기 때문이었다. 자신의 가슴에 대못을 박고 사라졌던 그녀가 그곳에 산다는 소식을 얼마 전에 들었다. 그래서 해인에게 전화를 걸어 그 까페에서 만나기로 하였지만 그녀는 끝내 나타나질 않았고 그가 계속 전화를 걸어대자 그녀는 아예 차단을 해버렸다.

초저녁에 들어와 폐점시간이 넘도록 그렇게 누군가를 줄창 기다리는 그가 안됐는지 희정은 간단한 안줏거리에 맥주를 내왔다. 그제야 정민은 "죄송합니다. 가게문 닫으셔야 할텐데..."라고 일어나다 휘청했다.

그리고 그가 눈을 뜬곳은 까페에 딸린 작은 방이었다. 자신의 이마에 물수건을 얹어주는 희정의 얼굴은 근심으로 가득 차 있었다.

그날 밤, 정민은 그녀를 안았다. 그리고는 다음날 아침, 돌아오겠다는 약속을 하고 서울행 버스에 몸을 실었다. 그뒤 그는 신인작가였던 기성이 써준 원고로 '감독 입봉'을 하게 되었고 이따금 떠오르는 희정과의 일은 어쩌다 생긴 '해프닝'정도로 여겼다.

그리고는 모델 은영을 자신의 영화에 캐스팅하면서 둘 사이는 연애로 이어져 혼전임신, 결혼에 이르렀다가 6개월만에 '성격차' 로 헤어졌고 그 과정에서 아이는 유산이 되었다.. 그러는동안 희정은 아예 없던 사람이 되었고 '돌아가마' 약속했던 그날의 약속은 흔적도 없이 사라져버렸다

그 김희정이 돌아오지 않는 자신을 기다리며 이렇게 시나리오를 써 온 것이다.

정민은 당장이라도 희정을 만나 지난날을 사과해야겠다는 생각이 들어 다시 전화를 걸었지만 전화기가 꺼져있다는 자동응답만 흘러나온다. 그러자 빈 손으로 만나는 것 보다는 희정의 원고를 영화로 만들어서 가자,라는 생각이 들었고 그는 그녀의 원고중 하나를 골라 영화작업에 들어간다.

희정의 원고로 만든 영화가 s 해외영화제에서 '주목할만한 영화' 로 뽑히면서 그는 스포트라이트를 받았고 어서 귀국해 희정을 만나야겠다는 결심을 굳히는 계기가 되었다. 그가 귀국한 다음날 회연으로부터, 아니, 희정으로부터 이메일이 날아왔다. 그러나 본문 내용없이 파일만 첨부된 이메일이었다. 정민은 왠지 불길한 예감에 한참 뜸을 들이다 파일을 클릭한다. 그러자 이제

너댓살 돼보이는 사내 아이가 해맑게 웃고 있는 사진이었다. 자신의 어린 날을 꼭 빼닮은...

정민은 그길로 남도를 향해 차를 몰았다.

희정의 친구 미영은 예전 희정이 운영하던 까페를 물려받았다고 한다.

"희정인 내내 기다렸어요 그 쪽이 돌아오길...그러다 완이를 낳았고."

희정은 죽기 전날 미영에게 자신이 써둔 시나리오를 김희연이라는 이름으로 정민의 영화사로 보내 달라는 유서를 문자로 보냈다. 그걸 받고 미영이 희정의 집으로 달려왔을때는 희정은 이미 싸늘한 시신으로 변해버린 뒤였다며 그녀는 계속 눈물을 흘려 댄다.

완이를 뒷자리에 태우고 올라오는 정민은 저만치 휴게소가 보이자 "너 우동 좋아해?"라고 묻는다. 그러자 아이는 , 그게 뭐지?라는 얼굴을 한다.

"아저씨가 사줄게. 맛있어. 한번 먹어 보면 또 먹고 싶을거야"라며 그는 아이의 손을 잡고 휴게소 안으로 들어간다.

겨울을 마감하는 봄비가 내리기 시작하는걸 보면서 그는 '이제

겨울도 다 갔구나'하는데 완이가 자기가 먹던 가락국수를 정민
의 그릇에 덜어준다.

"왜 맛없어?"

그 말에 아이는 고개를 저으며 '아저씨 배고픈거 같아서"라고 말
한다. 그 말에 정민은 울컥해서 아이를 꼭 껴안고 숨죽여 흐느
낀다...

<그네 타는 여자>

설마 여기서 그를 마주칠 줄은 꿈에도 몰랐다. 헤어진 지 거의 5년이 다 돼가는 그를. 그동안 결혼도 하고 애도 낳았겠지,하는 생각이 그녀를 스치고 그도 역시 비슷한, 어쩌면 같은 생각을 하고 있을 것이다.

그날따라 선주는 일찍 뒷산을 가고 싶었다. 오전에 원고를 일찍 보내고 나니 갑자기 무료해져서 읽다 만 책을 조금 읽었지만 몸이 근질거렸다. 나가서 해를 받고 싶다는 생각이 간절하였다. 그래서 근처 할인마트에서 만원에 산 허리 밴딩 바지를 입고 위에 하프 패딩을 걸치고 나가니 마치 봄날같다. 겨울이 이렇게 더워서야...
야구캡을 눌러쓰고 오르는 뒷산 오르막은 제법 가파르다. 그녀가 헉헉 숨소리를 내는데 어디선가 그 소릴 들었는지 개가 컹컹 짖어온다. 움찔한 선주는 걸음을 빨리하고 그렇게 야산 정상까지 오른다. 왼쪽은 험하기로 유명한 s바위쪽이라 그녀가 선택하는 길은 늘 오른쪽이다. 그곳으로 계속 가다보면 겨울에 특히 장관을 이루는 솔숲이 나오고 쉼터도 나온다.

그녀는 쉼터에서 혼자 바람에 흔들거리는 그네를 잠시 탄다. 약하게 멀미가 일어 그네에서 벗어난 그녀가 터덜터덜 하산하기 시작하는데 앞에서 웬 남자의 운동화가 멈추는 게 모자챙 밑으로 보인다. 해서 그녀는 옆으로 길을 내주자 그 운동화도 같은 방향으로 움직인다. 뭐지? 하고 그녀가 모자를 뒤로 젖히자 그가 서있었다.

그리도 모질게 그녀 가슴에 대못을 박고 갔던 그가 . 기웅이었다.

그때 선주는 그와 결혼하리라고 굳게 믿고 있었다.그래서 그가 요구하는 돈을 어떻게든 구해서 주었다. 자기집을 담보로까지 잡히고. 그러나 기웅의 사업은 기울기 시작했고 그러자 애먼 선주에게 그 화풀이를 했고 둘은 자주 다투다 급기야는 헤어졌다.

"우리 결혼하는거 아니었어?"라고 하자 그는 "서로 알아가는 단계였지 결혼은 무슨"하며 발뺌을 하였다. 그순간 선주는 자신이 그에게 준 돈을 영영 돌려받지 못하게 되었다는 사실을 깨달았다. 그래도 한번은 물어보자 하고는 돈 이야기를 하자 그는 "니가 자청해서 준 거 아니었어?"라며 비열한 반응을 보였다. 그리고도 둘은 몇번의 설전을 벌인 뒤 헤어졌고 그렇게 세월은 흘러갔다.

지난 5년은 기웅으로 인해 진 빚을 갚는데 할애했다고 해도 과언이 아니었다. 편의점 아르바이트, 부동산중개업소 보조, 심지어는 식당 서빙까지 해야 했던 그녀에게 한줄기 빛이 비추기 시작한 건 소설 공모였다. 대학 때 교내 문학상에 소설로 가작 입선한 것이 떠올랐다. 그녀는 3000만원의 시상금이 주어지는 대상은 바라지도 않았고 2등짜리 500이라도 되었으면 하는 심정으로 단편소설을 보냈고 그것이 덜컥 대상에 당선되었다. 처음 주최 측으로부터 전화로 그 소식을 전해 들은 그녀는 자신이 꿈을 꾸고 있다고 생각하였지만 전화에 이은 확인 문자를 받고 그제야 실감이 났다. 그래서 세금 뗀 3000이 조금 안되는 돈을 받아서는 은행빚부터 일부 갚았다. 하지만 아직도 빚은 넘치도록 남아있어 그녀는 알음알음 드라마 pd에게 데모 원고를 보냈고 한번 보자는 연락을 받고는 pd가 써보라는 내용으로 다시 써서 얼결에 '방송 작가'로 등단을 하였다. 그렇게 단막극 몇 편을 한 뒤 특집극을 짬짬이 하다 미니시리즈를 하게 되었는데 사람 일이 마냥 좋게만 풀리는 것이 아니어서 그녀는 도중에 pd와 마찰을 빚고 작가교체라는 뼈저린 경험을 해야했다. 그래도 짧은 시간이나마 드라마 극본료를 받아 그만큼의 돈을 또다시 상환할 수 있었다.

빚이 줄고 있다는 건 안도감과 함께 기웅으로부터 점점 멀어지고 있다는 서운함을 동시에 안겨 주었다.

둘의 사정을 아는 친구 미영이 곧잘 하는 말이 틀린 데가 없다. "지가 양심 머리가 있으면 돈 1000이라도 돌려줘야지"라며 미영은 마치 자신이 당한 것처럼 분해했다. 시상금과 고료로 빚은 많이 줄었지만 아직도 많은 빚이 남아있어 집을 줄여 이곳으로 이사하고 일부를 상환했지만 빚은 여전히 남아있어 이번 집도 또 내놓은 상태였다. 지금 그녀를 지탱시켜주는 건 몇푼 안 되는 인세와 잡문으로 버는 푼돈이 다였다. 이러다 연체라도 되는 날에는 신용불량자가 될 판이다.

"이렇게 보는구나 너를. 산에서"라며 기웅이 멋쩍어 한다.

그도 야구 모자를 쓰고 있지만 그 밑으로 드러난 머리가 하얗게 변해 있다. 아직 40도 안됐는데 머리가 샜네,라고 생각하니 선주는 그가 안쓰럽기도 하지만 천하의 '원수'와 재회했다 치면 일말의 연민도 다 사치였다.

순간 선주는 돈 이야기를 꺼낼까 하다 포기하고 그를 무시한 채 가던 길을 계속 간다. 그러자 잠시후 그가 뒤따라 오는 기척이 느껴진다. 화가 난 그녀가 홱 몸을 돌리며 "오지 마!"라고 소리치자 그가 움찔한다.

그의 그런 모습에 선주는 미안해지지만 기웅이 자신에게 덧씌운 그 빚이 얼마며 상처가 얼만가를 되짚어보면 어서 빨리 이 상황에서 벗어나야 한다는 생각 뿐이다. 해서 그녀는 내리막을 빠른 걸음으로 내려온다. 그렇게 단지 입구에 들어서는 찰나 뒤에서 헉헉 숨 가쁜 소리가 들린다. 설마, 하고 돌아보자 얼굴이 벌게진 기웅이 그녀의 바로 뒤에서 숨을 고르고 있다.

"어쩌라구!" 그녀는 뺨이라고 한대 갈기고 싶지만 애써 참는다. 그러는데 하필 그 순간 눈물이 주르륵 흘러 내린다.

"미안해....갚으려고 했는데.."라며 기웅이 한 걸음 다가선다. 그러자 선주는 그만큼을 뒷걸음친다.

"여기 사니?"하고 그가 그녀의 소규모 단지를 눈으로 둘러본다.

"난 저기 위..."

윗단지라면 2000세대의 대단지였고 그 나름의 인프라도 제법 갖춰져 있었다. 선주가 자기 집을 내놓은 게 1년이 다 돼가고 값도 있는대로 다운시키고 있지만 사람들은 역시 대단지를 선호해서 윗단지만 줄창 나가고 있는 상황이었다. 해서 산에서 내려오는 길목에 있는 그 단지를 지나칠 때는 슬쩍 흥, 하거나 눈을 흘기거나 하면서 시샘을 하곤 하였다.

그런데 그곳에 기웅이 살고 있다고 한다. 그 정도 단지에 살 정도면 자기 돈도 줄 수 있었을텐데,라는 생각이 들자 선주의 흐르던 눈물이 한 순간 멈춰버린다.

"우리 이웃 사촌이네"라며 그가 다가서는데 "오지마!"라고 그녀가 소리치고 재빠르게 자신의 집으로 뛰어간다.

그리고는 한동안 산에 가지 않던 그녀가 어느날엔가 눈이 밤새 내린날 아침, 눈 지붕을 이루는 솔숲이 보고싶어 다시 산에 올랐다. 한동안 오지 않았지만 겨울이 깊어져 나무들이 더욱 앙상해진 것 외에 큰 변화는 없었고 솔숲은 그녀의 예상대로 눈지붕을 만들고 있었다. 그리고 저 아래, 지난번 자신이 탔던 흔들 그네가 보인다. 남자 하나가 등을 보인 채 흔들거리고 있다...그녀가 물끄러미 그를 보다 방향을 트는 순간,"선주야!" 하는 기웅의 목소리가 들렸다.

그렇게 둘은 또다시 만났다. 기웅은 그네에서 내려 그녀에게 성큼성큼 다가온다. 이번에도 그녀가 도망치려 하자 그가 그녀의 팔을 힘주어 잡는다.
"아파"라며 그녀가 그의 팔을 뿌리치자
"어디 가서 얘기좀 해"라며 그가 앞장선다. 어디를 간단 말인가 이 상황에서...
"괜찮으면 내 집에 갈래?"
그말에 선주는 헉, 하고 숨이 멎는것만 같다. 외로움이 느껴진다 혼자구나 이사람도...

둘은 어느새 기웅의 집 현관문을 열고 들어서고 있다.

그의 집은 단지 한가운데, 마천루를 연상시키는 30층짜리 건물 25층이었다. 로얄이다..이러면서 내 돈은 안줬다구? 하자 그녀는 환하게 쏟아져 들어오는 거실 햇살부터 마음에 안든다. 자신의 집은 서향이어서 종일 어둡고 음침한데 기웅은 눈이 부신 남향 집에 살고 있는것이다.

"앉아있어"라고 말한 기웅이 커피 머신에서 커피를 내린다.

우린 지금 뭘하는 걸까,하는 생각이 선주를 앉지 못하고 계속 서있게 만든다.

"앉으라니까"하고는 커피를 한잔만 뽑아온 기웅이 소파 테이블에 내려놓는다.

그렇게 나란히 소파에 앉자 더더욱 어색해진 선주가 "나 갈래" 라며 일어서자 그가 다급하게 말한다.

"너한테 가야 한다고 생각했어. 빈몸으로라도 가야 한다고 ..니가 받고 있을 여러가지 압박과 상처를 생각하면 내가 다 잠이 안왔어."

"거짓말" 다시 털퍼덕 소파에 주저앉은 선주의 목소리가 떨리고 있다.

"나, 이 집 내났거든...실은 부모님 유산이야. 나중에 너 만나면 이거라도 주려고 형하고 싸워서 내가 차지했어"

그 말에 선주는 입이 떡 벌어진다.

"집 나가는대로 니 빚 갚을게"라며 그는 선주의 선처를 바라는 모양새다. 선주는 할 말이 없다. 이제 만났는데 둘 다 이사를 계획하고 있다. 만나자마자 이별이라는 말이 이럴 때 쓰는건가 싶다...왜 이렇게 가슴이 저릴까, 다시 보면 뺨부터 갈기리라 생각했는데 그게 되지를 않고 그의 품으로 파고들고 싶어진다.

"나도 집 내놨는데.."라는 선주의 말에 기웅이 잠시 머뭇거린다. "혼자니 여태?"라며 뒤늦게 그녀의 현재 상황을 물어온다. 선주는 대답 대신 그가 내린 커피를 홀짝인다. 온몸에 온기가 돈다.. 그리고는 나른함이 몰려든다..그렇게 그녀는 그의 소파에서 잠이 든다. 깨어났을 때는 창으로 들어오던 햇살도 다 사라진 뒤였고 자신의 위로 양털 담요 한 장이 덮여있다.

언제나 그랬듯이 대단지에 사는 기웅의 집은 빨리 나갔다. 향도 층도 모두 로얄인데다 시세보다 싸게 내놓았고 그에 비해 집 컨디션이 좋아서라고 선주는 생각했다..

조금 있으면 기웅의 이삿짐이 저 언덕을 넘어오려니 하면써 그녀는 언덕을 올려다본다. 그러자 아닌게 아니라 1톤 트럭이 미끄러지듯 , 썰매를 타듯 언덕을 빠르게 내려온다. 그리고는 선주네 단지 입구로 들어선다. 언 손을 호호 불며 자기를 기다리고 있는 선주를 본 트럭 조수석 기웅이 살짝 웃어 보인다.

기웅이 집 팔고 돌려준 돈으로 선주는 은행빚을 깨끗이 청산하고 그와 합치기로 하였다. 그렇게 살다 선주집이 빠지면 둘이 좋아하는 호수가 있는 신도시로 가기로 약속하였다. 그곳에서 아이를 두엇 낳자는 기웅의 말에 선주는 '나이가 있는데 될까'하는 조바심이 일지만 일단은 노력해보고 안되면 시험관 시술이라도 받기로 하였다.

기웅의 마지막 이삿짐이 선주의 집 열린 창으로 올려질 즈음, 눈이 내리기 시작한다. 일기 예보에서는 이번 눈은 사흘 계속 간다고 하였다. 둘은 서로를 꼭 끌어안고 사흘간의 동면에 들어가기로 한다.

<통증>

동민의 꿈을 꾸었다. 현실에서는 서로 안보고 지낸 지 한참 된 그가 꿈에서는 **활짝** 웃으며 그녀를 반겼다. 그리고는 그녀의 언 손을 꼭 쥐고 호호 녹여주었다.

잠에서 깬 보경은 이게 무슨 꿈일까, 혹시 그에게 안 좋은 일이 라도 생긴 건 아닐까,하는 생각이 들었다. 그가 차라리 무표정했 더라면 덜 할텐데 왜 그렇게 마지막 만남처럼, 마지막 인사처럼 웃고 있었을까,하면서 그녀는 전화에 아직도 저장돼있는 그의 연락처를 물끄러미 바라본다. 그때 마침 전화벨이 울린다. 동민 이었다. 세상에...하면서 그녀는 하마터면 폰을 떨어뜨릴뻔 한다.

"어...웬일이야" 그녀가 더듬거리자 상대는 잠시 뜸을 들이더니 "네 꿈을 꿨어..너, 혹시 시집가니? 하얀 드레스를 입고 **활짝** 웃 고 있더라"면서 동민이 물어온다.
둘이 동시에 서로의 꿈을 꾸었다는 게 신기하면서도 무슨 징조 나 조짐처럼 느껴졌지만 보경은 자신도 동민을 꿈에서 보았다는 이야기는 하지 않는다. 지금 동민의 처지나 상황, 그 옆에 누가 있는지도 모르는데 함부로 말을 할 수도 없는 일이다.

"아무일도, 없지? 건강하지?"라며 그녀는 에둘러 물어본다.

"그렇지 뭐...시집, 안 가는 거니?" 그가 그렇게까지 그녀의 결혼 여부에 관심을 갖는다는 건 그도 아직 싱글임을 말해준다...

"우리, 좀 볼까?"

동민이 잔뜩 용기를 내서 물어본다

그말에 잠시 뜸을 들이던 보경이

"오늘 저녁 , 퇴근하고 돼?"라며 물어본다.

따져보니 근 2년만이었다. 나중에 알고보니 '오해'였던 일로 당시엔 크게 싸우고 누가 먼저랄 것 없이 돌아섰다.그리고는 마음 속에서 서로를 버리고 그렇게 살아온 시간이 2년이었다. 둘다 서른을 훌쩍 넘긴 나이니 이따금 생각하면, 결혼했겠지,하는 생각이 드는것도 이상하지 않았다. 그럼에도 둘다 아직 싱글이라는 게, 어쩌면 서로 돌아서기만 했을 뿐 실은 서로를 버리지 못하고 있다는 증거일지 모른다는 생각이 든다.

보경이 회사 근처 까페로 들어서자 저만치, 늘 먼저 와서 앉아 있던 그 자리에 동민이 앉아있다. 동민은 그새 조금은 야위었지만 혈색은 좋다고 생각하면서 보경은 그에게로 간다. 그러자 동민은 예전에도 가끔 하던 '의자 빼주기'를 한다.

"왜 이래 쑥스럽게"하면서 보경이 그 의자에 앉는다.

"너 이뻐졌다"라며 동민이 짓궂게 웃는다.

"아무일...없는거지?"

아무래도 꿈속에서 서로를 보았다는게 길몽일수도 흉몽일수도 있다는 생각에 보경은 재차 물어본다.

"나...형하고 사업 합쳤어 얼마전에. 아니, 형 밑으로 들어간 거지"

"그렇구나"라며 보경은 메뉴판을 들여다보는 척 한다.

동민의 집안은 대대로 사업가 집안이었다. 해서 동민은 대학 졸업 무렵 친구들이 앞다투어 취업 전선에 뛰어들었을 때 친구 몇과 자그맣게 it관련 벤처회사를 차렸다. 그때 보경을 만났고 보경은 그의 사무실에도 여러번 갔었다.

그런데 가구업을 하는 형과 사업을 같이 한다고 했다. 그 벤처는 잘 안됐구나 싶지만 더는 묻지 않기로 한다. 세상사가 어디 뜻대로만 되랴. 비록 회사는 잘 안됐어도 여전히 건강하니 그것만도 고맙고 다행스런 일이었다. 게다가 아직 싱글....

혹시, 둘이 결혼이 성사된다는 꿈인가,보경은 은근 설렌다.

"왜 여태 혼자야?" 동민이 또 한번 그녀가 아직 혼자인지, 왜 그런지를 물어온다.

지난 2년간 보경은 남자와는 일정 거리를 둔 생활을 했다. 동민에 대한 미련과 실연의 아픔이 깊어 금방 다시 연애라는 걸 하기가 두려웠고 하고 싶지도 않았다. 그래서 가능하면 그런 자리에 나가지도 만들지도 않고 지냈다.

"어디 가서 밥 먹을까?"
동민이 저녁 식사를 제안한다.

"내가 살게 파스타"라며 보경이 환하게 웃자 동민도 건치를 드러내며 밝게 웃는다.

동민을 만나고 온 날, 보경은 대학친구 희선에게 전화로 그 사실을 알리며 꿈 이야기까지 털어놓는다.
'어머, 니들 결혼하는구나'라며 희선이 반색을 하며 성급히 축하의 말을 전한다. '아직 몰라'하면서도 보경은 계속 심장이 벌렁거리고 일이 손에 잡히지 않는다. 샤워를 하는 순서마저 까먹을 정도다...그러다 문득 얼마전에 읽은 '샤워시 제일 먼저 씻는 부위에 따른 성격유형'이란 기사가 떠올랐다. 보경은 당연하다는듯이 얼굴부터 씻는데 그것은 '남의 시선을 많이 의식하는 유형'이라고 써있어서 '말도 안돼'라며 웃어넘긴 적이 있다. 그렇게 샤워를 하면서 언젠가 동민과 함께 욕조에서 사랑을 나누었던 기억이 난다.

샤워를 마친 보경은 침대에 걸터 앉아 물끄러미 전화기를 바라본다.

그러다 용기를 내서 동민에게 전화를 거는데 '통화중'이라는 자동안내가 나온다.

이 밤중에 누구와 왜 통화를 하는걸까, 궁금해하다 그녀는 전화기를 내려놓고 잠을 청한다. 그러는데 전화벨이 울린다.

"야, 넌 한밤중에 어디다 전화질이냐?"라며 동민이 짐짓 나무라는 , 하지만 여전히 장난기 가득한 톤으로 말을 한다 . 동시에 서로에게 전화를 했다는 것 또한 분명한 '조짐'으로 여겨져 보경은 마치 '결혼'이 임박한 느낌을 받는다.

"이번 주말에 뭐하니?"

주말이라고 해봐야 내일 모레다. "왜?"하고 보경이 묻자 "어디좀 가자"라며 동민이 제안한다. 아마도 동민의 본가를 말하는 것 같다.

그렇게 그 주말, 보경은 동민이 모는 지프형 suv에 올라 강원도로 향한다. 보경의 기억에 동민의 본가는 부산이었다.. 그런데 왜? 하는 순간 동민이 말한다.

"애가 어려 아직..."

그말에 보경은 흡, 하고 숨이 멎는다. 그러다 휴, 하고 다시 숨을 내쉰다. 애라니...하는데

"너랑 헤어지고 견딜수가 있어야지. 해서 곧바로 선봐서 결혼했어. 그리고 애를 낳았는데 와이프가 암으로 갔다"라고 이야기한다.

그 시간이 얼마 안됐다는 생각이 보경을 스친다.

'그럼 그 꿈은 뭐야'라며 보경이 투덜거리자 '너 뭐하냐'라며 동민이 멀뚱히 쳐다본다.

'처가가 강릉이야. 남자 아이 못키운다고 장모님이 키우고 계셔'라고 말한다.

그 이후 보경은 어떻게 강릉까지 갔는지, 어떻게 동민의 처가 어른들과 인사를 나눴는지 기억도 나지 않는다. 하룻밤 강릉에서 묵고 올 예정이었던 동민은 보경이 내켜 하지 않는 걸 알고는 그날 밤 차를 서울로 돌린다. 그리고는 보경의 오피스텔 앞에 차를 세우며 내내 궁금했던 질문을 한다. "싫지? 이런 상황?"이라고.

그말에 보경은 "가서 자 얼른. 늦었다"라며 서둘러 건물 안으로 들어선다.

'다 헛꿈이었어'라며 보경은 투덜대며 샤워를 하기 시작한다. 개꿈, 똥꿈...하며 툴툴대는데 챠임벨이 울리는거 같다. 설마...하고는 젖은 몸을 대형 타월로 감싸고 현관문을 열자 간 줄 알았던 동민이 우두커니 서있다.

"너무 늦었나?"
그말에 보경은 잠시 생각한다. 헤어진 후의 결혼한거니 양다리나 외도도 아니고 결혼했으니 아이를 낳은 것도 당연하고 젊은 나이에 것도 신혼때 와이프가 갔으니 한편 동민이 안 됐다는 생각도 든다...
"들어올래? 나, 라면 먹을건데"라며 보경이 길을 내준다.
그러자 동민은 잠시 머뭇거리더니 익숙한 그 방에 들어선다.
"다 늦게 무슨 라면. 그러니까 아까 휴게소에서 저녁 먹자고 했잖아. 너 좋아하는 유부우동"이라며 이번엔 동민이 툴툴댄다.
"나 우동도 있어. 해줄까?"라며 그녀가 주방으로 가는데 뒤에서 동민이 그녀의 허리를 끌어안는다. 보고싶었어... 그런 그의 행동과 말에 보경은 어떻게 대응해야 할지를 모르겠다. 해서 한동안 우두커니 있다가 보경이 결론을 내린다. 그의 두 팔을 허리에서 거두며 돌아서서 그를 바라 본다. 동민은 자못 불안한 얼굴이다. 거절이라도 당하면 어쩌나 하는..

"아들 이름이 빈이라고 했나? 이쁘드라...우리 둘 사이에 애를 낳았어도 그렇게 생겼을 거 같아"라고 하자 동민의 얼굴이 다시 빛을 발한다. 그 순간 보경은 '꿈의 계시'를 따르기로 한다. 둘이 같은 꿈을 꾼것도 , 동시에 서로에게 전화를 건 것도 , 다 맺어지라는 , 그리 된다는 계시였다고 생각하기로 한다. 그리고는 동민의 목에 자기 두팔을 두른다.

"우동 끓여준다며"라고 말하는 동민의 입에 그녀는 너무도 여러번 상상하고 바랐던 재회의 입맞춤을 한다. 그 순간 그녀의 가슴에 짜릿한 통증이 인다. 그것은 차라리 전율이었다.

<타인의성>

민수는 메일을 다 써놓고도 보내기를 망설인다. 괜한 오지랖이 아닌가, 하다가 그는 결심한듯 보내기 버튼을 누른다. 그렇게 민수의 메일은 현수에게로 날아간다.
그리고는 바로 그날밤 예상했던 해진으로부터 전화를 받는다. 왜 그랬어....

해진은 현수와 되도 않는 연애를 2년 넘게 끌어오고 있다. 해진의 오랜 친구인 민수가 보기에 현수는 결단코 해진을 좋아하지 않는다. 좋아한다는 남자가 어떻게 2년이 넘도록 여자를 한번도 안지를 않는다는 말인가. 말로는 '지켜주고 싶어서'라고 하지만 같은 남자 입장에서 보면 죄다 헛소리다. 좋으면 만지고 싶고 안고싶고 섹스하고야 마는게 남자가 아니던가.

해서 민수는 여러번 해진에게 현수와의 관계를 정리하라고 충고했다. 그러면 해진도 ,자기도 석연치가 않다며 그와의 관계를 곧 끝낼 것처럼 하다가 1,2주후면 둘은 다시 붙어 다녔고 여전히 돈 드는 건 해진이 도맡았다. 현수의 월세, 차유지비, 여행비..

현수는 한때 잘 나가던 소설가였다. 그러나 세상이 변해가는 속도에 맞추지 못해 낙오된 그런 케이스다. 해서 그 후로는 칼럼, 리뷰, 심리상담등 잡문을 이곳저곳에 기고하면서 간신히 생계를 이어나가다 영화 리뷰를 싣던 영화잡지 기자인 해진을 만나게 되었다. 현수는 특유의 '마초이즘'으로 , 무뚝뚝함으로 해진을 끌어당겼고 해진은 늘 사분사분한 도시 남자들만 만나다 신세계를 만난 듯 빠르게 그에게 빨려 들어갔다.

"너 그러다 시집가겠다"
민수가 해진으로부터 현수의 이야기를 처음 전해 듣고 그렇게 말했을때 해진은 빙긋이 웃으며 수긍하는 눈치였다. 축의금은 한 30이면 될까, 민수는 미리 셈을 해두었다.
그러나 시간이 흘러도 둘의 연애는 진척이 없어 보였고 해서 혹시 헤어졌나 하면 또 그런 것도 아니었다. 그러다 어느날 해진은 자는 민수에게 전화를 걸어와 급히 돈 100만원을 빌려달라고 하였다. 직감적으로 그 돈이 해진이 아닌 그, 그러니까 현수에게 갈 거라는 생각에 민수는 화가 치밀었다. 뭐야 그자식! 하고 내뱉으려다 꾹 참고 민수는 더묻지 않고 그자리에서 돈을 해진에게 이체해주었다. 사흘 후 해진이 월급을 타고 곧바로 입금해주면서 "다음에 너 급할땐 나한테 콜해"라며 5만원 이자를 얹어주었다.

해진에게 전혀 마음이 없었던 건 아니지만 대학 신입생 때 알게 된 터라 알아 온 세월만 15년이 다 돼 간다. 그동안 각자의 연애 스토리를 훤히 알고 있는 터에 새삼 '연애하자' 들이대기도 뭐하고 해서 민수는 애써 해진을 이성으로 보지 않으려고 노력하였다. 그러다 보니 자연스레 이성이라는 생각이 들지 않았고 오히려 동성끼리는 털어놓지 못하는 이야기까지 시시콜콜 나누게 되었다.

그런 해진이 현수를 만나면서부터 전에 없이 얼굴에 그늘이 드리우는걸 민수는 확연히 느꼈고 시간이 한참 흘렀음에도 손 한두번 잡은게 다라는 해진의 말에 화가 치밀기도 했다. 현수가 원하는 건 해진이 아니고 그녀의 물질이며 돈이라는 직감이 들었다.

어느 날 해진은 민수에게 이메일이 복사된 문자를 보내왔다. 보아하니 현수와 싸울 때 오고 간 메일 같았다. 현수는 해진을 '망상장애와 의심으로 뭉쳐진 여자'라고 비난하였다. 그 메일을 받고 나서 민수는 고심끝에 해진에게 전화를 걸었다.

"너 이 연애 꼭 해야 돼? 아니, 이거 연애 맞긴 해?"라고 하자 해진은 전화너머로 울먹였다. 그리고는 "아무래도 헤어져야 할거 같아"라고 하였다.

하지만 해진은 그러고도 다시 현수에게 돌아갔고 뒤늦게 현수가 한번 결혼했던, 아이까지 있었던 남자라는 걸 알고는 기함을 하였지만 그것도 묻고 가려 하였다.
"돌싱이 문제가 아니라 처음부터 털어놨어야지 그런 건"하고 민수가 현수를 비난하자 "다 이유가 있었겠지"라며 그녀는 오히려 현수를 두둔하기까지 하였다.

그러던 어느날, 해진이 깊은 잠에 빠질 즈음 현수로부터 전화가 걸려왔다. 급한 일이라고 빨리 메시지를 보라고. 해서 해진이 졸린 눈을 비벼가며 열어본 폰에는 현수가 보내온 여러개의 메시지가 떠있다. 현수의 은행 계좌들에 압류가 걸려 있다. 해진은 어리둥절해서 다시 현수에게 전화를 하자 "너한테 풀어달라는 거 아니고, 그냥 어이가 없어서....자동차 과태료 좀 밀렸다고 이럴수 있냐? 이게 복지국가야?"라며 씩씩댔다. 결국, 그 문제는 다음날 해진이 78만원을 교통과에 입금하면서 해결이 되었다.

그 이야기를 해진으로부터 전해 들은 민수는 현수가 '고단수'라고 여겨져 당장 끊으라고 하였다. 해진은 '불쌍하잖아 고작 78만원이 없어서..'라고 또 싸고 돌았다.

"야. 그 돈이 있으면서도 너보고 쓰라고 한 건지 어떻게 알아?" 라고 민수가 화를 내자 해진은 설마,하는 표정이 되었다.

"남자는 남자가 알아"라며 해진을 아무리 설득하려 해도 그녀 나름으로 이미 현수와 결혼까지 결심을 굳힌 모양새다.

안되겠다 싶어 민수는 지난번 해진이 보내온 복사된 현수의 메일 주소로 메일을 보냈다. 한번 보자고. 해진의 친구라고.

마주앉은 민수와 현수 사이에는 강대강이 만난듯 팽팽한 긴장감이 흐른다.

"이제 그만 해진이 놔주시죠" 민수가 먼저 운을 뗀다. 단단히 화가 난 어투로.

그러자 현수가 두 주먹을 불끈 쥔다.

"너였구나. 누가 있다 싶었어 뒤에"라며 비열한 웃음을 짓는다.

"무슨, 말씀이죠? "

"아니, 멍청하고 순해빠진 개가 가끔 나한테 이것저것 지적질하며 대들드라구 요즘 와서. 해서, 누가 있구나 싶었어"

"지금 그런 말 하는 게 아니잖아!"라며 민수가 현수의 멱살을 쥔다.

"이러다 치겠다?"

둘이 옥신각신하는데 까페 사장이 와서 둘다 나가라고 소리를
지른다.

그렇게 밖으로 쫓겨난 둘은 대로에서 사람들의 시선에도 아랑곳
않고 치고 박기 시작한다. 그러면서 입가에서 피가 흐르고 코피
가 터져 나오고 두 다리가 후들거린다. 주위로 구경꾼들이 하
나 둘 모여들기 시작할 때쯤, 민수가 먼저 싸움을 멈춘다. 그러
자 현수도 씩씩대며 한참을 노려보더니 휑하니 돌아서서 인파를
헤치고 가버린다.

"니가 뭔데. 뭐길래 남의 연애사에 참견이야!"라고 전화너머에서
해진이 소리를 질러댄다.
"난 너 위해서...미안. 오지랖인건 아는데 너 계속 당하는 거 볼
수 없어서" 민수가 조근조근 이야기를 하지만 해진은 도중에
전화를 끊어버린다.
민수는 그날밤을 하얗게 새우고 다음 날 일찍 해진에게 사과 전
화를 걸기로 한다. 그리고는 익숙한 그녀의 번호를 누른 순간,
자신이 차단되었음을 알게 된다. 난 자기를 위해서 한 일인데...
라며 민수는 온몸에서 힘이 빠져나간다. 그날은 출근을 해서도
계속 실수만 해대서 부장에게 혼쭐이 나고 외근 나가서는 접촉
사고까지 냈다. 한마디로 '운수 더러운 날'이 되었다.

밤늦게 퇴근한 민수가 오피스텔 1층 현관을 들어서려는데 저
만치 어둠 속에서 자신에게 다가오는 그림자가 있다. 누구지?
하고 민수가 돌아보는데 날쌘 주먹이 날아온다. 안 그래도 하
루종일 안풀리는 일과에 파김치가 다된 민수는 그자리에 퍽 쓰
러져버린다. 그리고는 정신을 잃는다...
어둠속 그림자는 쓰러진 민수의 얼굴을 한번 더 가격한 뒤
그 자리를 뜬다.
차디찬 밤바람이 민수의 피범벅된 얼굴을 할퀴고간다.

<겨울이야기>

강희는 다음 수업까지 시간이 조금 남아 오랜만에 대학동창 기수를 교내 까페에서 만나기로 하였다. 그 전날 기수가 오랜만에 전화를 걸어와서 내일 강희의 대학 근처를 지나간다며 볼 수 있냐고 물어왔다.

그렇게 해서 둘은 몇년만에 마주 앉았다.

"야, 너 신수가 훤하다"라며 기수는 커피를 홀짝이며 너스레를 떤다.

"영감 말투하군..."하며 강희는 살짝 눈을 흘긴다.

"근데 너 그 얘기 들었냐? 영준이 돌아온거?"

영준이란 말에 강희의 심장이 마구 뛰기 시작한다. 그를 본 지도 20년이 흘렀는데 여태 그 이름만 들어도 가슴이 시리다.

"가족이랑 전부 다?"

"아니...이혼했대. 혼자 왔나봐"

강희와 영준은 결혼까지 약속했던 캠퍼스 커플이었다. 그런데 영준이 제대를 하고 얼마 후 그 집안 전체가 남미로 이민을 떠난다는 얘기를 들었다. 그때 강희는 대학원 석사과정 중이었고 졸업과 동시에 영준과 미국 유학을 가기로 돼 있었다. 그런데 난데없는 이민이라니, 그것도 낯선 남미라니...

"넌 안가도 되지?"라며 강희가 은근 영준을 붙잡았다.

"가서 자리 잡히는대로 나는 돌아올게"라며 영준은 기어코 가족을 따라 아르헨티나로 이민을 떠났다. 그 사실을 알게 된 강희의 집안에서는 당연 결혼 반대 의사를 표명했고 집안에서 정한 남자와 결혼하라는 압력을 넣었다. 하지만 강희는 그 사랑을 포기하지 않고 결국 미국 유학에 올랐고 교대로 한번은 자기가 아르헨티나에 그 다음엔 영준이 미국에 오는 식으로 장거리 연애를 이어나갔다.

하지만, 의류사업을 하던 영준의 집이 결국 파산하면서 가족들은 뿔뿔이 흩어졌고 그 와중에 강희는 영준을 잃고 말았다. 어느때부턴가 그와 연락이 닿지 않더니 어느날은 아예 문자며 메일까지 차단당했다. 박사고 뭐고 다 필요없다는 심정에 그녀는 귀국하였지만 부모의 강권에 굴복해 다시 미국으로 돌아갔고 거기서 박사과정을 마치고는 눌러앉았다.

그렇게 10년을 미국 대학에서 한국어와 한국문학을 강의하다 한국 모교에 자리가 났다는 이야기를 대학원 지도교수로부터 듣고 귀국하였다. 그리고는 알게 되었다. 영준이 귀국해서 결혼해 이곳에서 살고 있다는...당장이라도 강희는 그를 만나고 싶었지만 용기가 나지 않았다. 아이가 둘이나 된다니 이젠 다 그른게 아닌가,라는 생각이 그녀를 머뭇거리게 했고 그러는 동안 영준은 처자식을 데리고 다시 본가가 있는 아르헨티나로 갔다고 한다. 그리고는 그의 소식은 끊어졌는데 그가 혼자몸으로 다시 나왔다는 것이다.

그렇게 한참만에 기수로부터 영준의 소식을 전해들은 강희는 오후에 이어진 수업시간에 자꾸만 실수를 한다. 그녀의 머릿속엔 '지금이라도'라는 일말의 희망과 가능성과 '이젠 글렀어'라는 체념 , 두가지가 불꽃을 튀기며 싸우고 있었다. 그러다 강희는 강의 도중 쓰러져 구급차로 대학병원에 실려간다. 눈을 뜨자 학생 두엇이 걱정스레 곁을 지키고 있다. "가봐 그만"하고 강희가 몸을 일으키는데 어지럼중이 그녀를 덮쳐온다. 아직도 영준의 존재가 이렇게도 자기를 지배한다는게 믿기지가 않았다. 하지만 인정할 수밖에 없었다 자신에게 평생의 남자는 그 하나라는 걸...

"알아볼순 있지..근데 , 왜? 만나보려고?"
업무 도중 강희로부터 영준의 연락처를 알아봐줄 수 있냐는 전화를 받은 기수는 얼떨떨하다. 둘의 러브스토릴 훤히 꿰고 있는 터라 지금 다시 만난다 한들 무슨, 이라는 생각이 들지만 그래도 도울 수 있다면 돕고 싶다. 그렇게 기수는 영준의 연락처를 알아내서 강희에게 문자로 보내준다.

영준의 연락처를 받아든 강희는 이번에 실기하면 두 번 다시 기회는 없다고 생각한다. 그리고는 수업이 없는 날 일찍 영준에게 전화를 건다.

"나야 이강희"

그말에 전화너머 긴 침묵이 흐른다...

"나야. 기억하지?"

그말에 영준은 어렵게 말문을 연다.

"안그래도 궁금했어...볼까 한번?"

그날 마침 강희가 수업이 없다고 하자 영준은 자신이 강희의 오피스텔로 픽업을 오겠다고 한다. 그렇게 오피스텔 앞에서 영준을 기다리는 강희의 심장은 금방이라도 터져버릴 것만같다. 그래서 그녀는 그 심장이 터져 나오지 못하게 왼쪽 가슴을 손으로 꾹 누르고 있다....

저만치 아마도 영준의 차인듯한 아담한 suv가 다가오는게 보인다. 차는 강희 앞에서 멈춘다. 그리고는 거짓말처럼 영준이 차에서 내린다.

20년만의 만남인데 서로가 변했다는 생각이 전혀 들지 않는다.

영준은 멋쩍어하며 악수를 청한다. 강희도 애써 웃으며 그 손을 쥔다. 커다란 그의 손안에 자신의 조막만한 손을 넣으니 마치 아기띠로 둘러싸인 아이가 된 기분이다.

"너, 안 변했다 하나도"라며 영준이 씩 웃는다.

"거짓말..."

그렇게 영준은 강희를 태우고 예전 둘이 자주 가던 강촌으로 차를 몬다.

"아직도 거기 폭포 그대로 있나?"그가 궁금해한다.

안그래도 강희는 영준이 생각나면 강촌을, 그곳 폭포를 찾곤 하였다. 하지만 그 이야기는 왠지 할 수가 없다. 그가 여태 자신을 사랑하는지 알 수 없으므로....

"넌 왜 혼자야 여태? 너 정도면,"

"그냥 뭐...그렇게 됐다. "

"내가...소개시켜줄까?"

그말에 강희는 얼어붙은 겨울 강으로 시선을 돌린다... 그런 자신을 영준이 물끄러미 보는게 느껴진다.

"내가 왜 혼자냐면...니가 갔으니까..날 버리고 간 걸 잊을 수 없었으니까"라고 강희는 애써 용기를 내서 마를 한다. 20년간 참았던 눈물이 한꺼번에 주르륵 흘러 내린다. 그러자 영준이 팔을 뻗어 강희의 어깨를 안는다. 예전 느낌이 되살아난다. 강희가 쓸쓸해 할 때나 아파할 때나 공부에 지쳐 힘들어할 때면 영준은 이렇게 그녀를 안아주곤 하였다.

"미안 . 그 때는 그게 널 위한 거라고 생각했어"라고 영준이 힘겹게 말을 한다.

"..."

"근데 널 잊을수가 없었어. 애를 낳고 살아도 니가 지워지질 않았어"라며 이번엔 영준이 울먹인다. 그러자 강희가 영준의 언 손을 감싸쥐고 말한다.

"우리 헤어지지 말자 이제는"이라고.

매서운 강바람이 둘을 강타하고 지나간다. 영준이 자신의 외투를 벗어주려 하자

"하지 마 그거 신파야"라며 강희가 말린다.

그런 강희를 영준이 살포시 안아준다.

"서울 갈때는 내가 운전할게"라고 하자

"아서라"하며 영준이 고개를 젓는다.

강희가 모는 차가 중앙선을 침범한 세단을 아슬아슬 피할 때까지는 좋았다. 그렇게 위기를 모면한 강희가 가슴을 쓸어내리기도 전에 뒤에서 대형 트럭이 자신들의 차를 들이받는다. 그러자

작은 suv는 그대로 튕겨져 나가고 그대로 아래로 곤두박질친다. 두사람 다 즉사로 판명돼 최소한 고통없이 갔을 거라고 경찰은 유족에게 전한다.

<눈사람>

적당히 수북한 뒷머리며 후드가 달린 브라운색 패딩,무엇보다
180이 좀 안돼보이는 키, 비록 뒷모습이지만 기영이 틀림없다...
은혜는 얼른 몸을 돌려 식장을 빠져나오다 허겁지겁 들어서는
한 남자와 부딪친다. 그 바람에 남자가 "어이구 죄송합니다"라
말했고 그 소리에 기영이 뒤를 돌아다본다. 은혜는 얼굴이 화끈
거려 더 이상 움직이지도 못하는데 남자는 "괜찮으세요?"라며
또한번 묻는다. "네,네"하고는 빠르게 식장에서 빠져 나오는데 팔
하나를 누군가 잡는다. 안봐도 안다 기영이다.

하필 남의 결혼식에서 이렇게 마주칠 건 또 뭐람, 하는 표정은
은혜나 기영이나 마찬가지였다. 둘은 피로연이 준비된 홀에서
멀뚱히 마주 보고 앉았다.
"뭐라도 먹을까?" 침묵이 어색한 건 기영도 마찬가지였다.
"난 별로 생각 없어. "하고 은혜는 별다른 일정도 없는데 시간을
보는 시늉을 한다.
그런 그녀를 물끄러미 보던 기영이 "안그래도 연락 한번 해볼까
했어"라고 말하고는 이마의 땀을 닦아낸다. 한겨울에 땀이라니...
뷔페홀의 난방은 적당해서 땀이 흐를 일이 없는데 그렇다면 이

남자 긴장했구나 싶다.

은혜는 이 자리를 어서 벗어나고 싶다는 생각과 그 반대의 생각 사이에서 갈팡거린다.

"당신 회 좋아했지? 있어. 내가 갖고 올게"라며 기영이 음식을 가지러 간다.

은혜와 기영은 회사 선후배로 만나 몰래 만남을 유지하다 발각이 됐고 그 즈음 은혜의 뱃속엔 2달된 아이가 자라고 있었다. 그렇게 둘은 결혼했고 회사는 은근 은혜에게 퇴사를 종용했다. 사회가 아직은 남성 위주라는 걸 알기에 은혜는 별 저항감 없이 퇴사해서 아이를 낳고 그 아이를 정성스레 키웠다. 기영도 그만하면 착실한 가장이자 남편이고 은혜를 살뜰히 챙겨주는 셈이었다.

그런 그가 부하 여직원과 일본 출장을 다녀온 뒤로 변하기 시작하였다. 한밤에 그 여자의 전화를 받고는 허둥지둥 뛰쳐 나가질 않나, 속옷 선물을 받아와서 들키지를 않나...

은혜는 영낙없는 외도라 판단하고 주저없이 이혼을 요구했고 기영은 그런 게 절대 아니라고 하였지만 결국에 둘은 갈라섰다.

"그럼 진이는 당신이 맡을래?"라며 그는 아이를 은혜에게 키우게 하고 매달 꼬박꼬박 양육비를 보냈다.

그러나 이혼 후 한번도 밖에서 만나거나 한 적은 없었다. 진이를 볼 수 있는 권리가 있음에도 기영은 이따금 아이와 전화통화만 하고 보러 오지는 않았다. 그것도 은혜는 마땅치가 않았다.

예식 하객으로 만나 결혼까지 간다는 이야기는 들어봤어도 이런 경우는 들어본 적이 없는터라 은혜는 마음이 뒤숭숭했다.
접시 가득 회며 해산물을 담아온 기영이 자리로 돌아오자 은혜는 자세를 고쳐않는다. 긴장이 풀리질 않는다.
"먹자"하고 기영은 예전 둘이 부부였을 때처럼 허겁지겁 먹기 시작한다.
기영의 유일한 단점이라면 게걸스레 먹는다는 것이었다. 거의 씹지도 않고 꿀꺽꿀꺽 삼켜버리는 그를 타박한 게 한두번이 아니었다.
그런 그를 물끄러미 보다 은혜가 일어나 물을 가져온다. 그리고는 그에게 물을 건넨다.
"물 마시면서 먹어. 그러다 체해"
그 말에 기영이 멈칫한다.
"누구, 있어?"
기영은 작심한 듯 물어본다.

이혼 뒤 은혜의 소식을 어찌 알았는지 동창 민우가 대시를 하긴 했었다. 하지만 두어번 가벼운 데이트를 끝으로 그녀는 '친구로 돌아가자'고 하였다. 은혜의 딸 진이가 아직도 아빠를 찾는다는 말에 민우도 더 이상은 밀어 부치지 않았고 들려온 말로는 그후 두 달있다 한참 어린 피아니스트와 결혼하였다고 한다. 그도 청첩장을 보냈지만 그래도 잠깐이나마 이성으로 만난 사람의 결혼식에 간다는 게 어색해 은혜는 계좌로 축의금만 보냈다.

은혜는 '누가 있냐'는 기영의 질문에 답을 하지 않는다. 대신 자신들의 결혼을 파경에 이르게 한 '그녀'가 떠오른다.
"그래서 당신은, 했구 결혼?"하자,
"니가 이러고 있는데 내가 어떻게 결혼을 해"라며 기영이 정색을 한다.
아이까지 있는 유부남이 바람을 피울 땐 언제고 이제는 전처가 아직 싱글로 있어서 자기도 재혼을 안했다는 말이 앞뒤가 들어맞지 않아 은혜는 짧게 한숨을 내쉰다.
"나 약속있어. 갈게"라고 그녀는 음식엔 손도 대지 않고 일어난다.
"왜...좀더 있다 가지"하며 그가 그녀의 옷자락을 슬며시 잡는다.
"진이 보고 싶으면 하루 전에 전화해. 언제든 보여줄게"라고 은혜가 말하자,
"보면 데려오고 싶고 그럴거 같아서 안 갔어. 애도 힘들어할 거

같고"라며 그동안 진이를 찾지 않은 이유를 그 나름으로 해명하려 한다.

"그럼 마음대로 해"하고 은혜는 뷔페홀을 빠르게 빠져나온다.

발레 파킹된 자기 차로 가서 차 문을 열고 시동을 거는 은혜의 눈에 저만치서 두리번거리며 자신을 찾는듯한 기영의 모습이 보인다. 그동안 차를 바꿔서 아마도 찾아내지 못하는 거 같다. 은혜는 경적을 울려줄까 하다 그만두고 그대로 차를 몰고 예식장을 빠져나온다. 사이드미러를 힐끔거리자 여전히 이차 저차 살피는 기영의 모습이 눈에 들어온다.

"왜 찾아. 그렇게 갔으면"

30미터쯤 가다가 유턴해서 다시 돌아온 은혜가 싸늘하게 쏘아붙인다.

"차 바꿨구나..."

"다신 만나지 말자. 진이 보고 싶으면 애만 봐."라고 은혜가 돌아서는데

"너 걱정 많이 했어. 그리구"

은혜가 냉소를 머금고 다시 고개를 돌려 그를 바라본다.

"걱정? 그렇게 걱정하는 남자가 후배 여직원이랑, 것도 한참 어린애랑 바람을 펴?"

"오해야...그냥 우린 선후배라고 했잖아."

"그럼 속옷 선물은...그건 뭐였어?"

"그건..."

더이상 말을 섞기조차 싫은 은혜는 따귀라도 한대 후려갈기고 싶은 걸 간신히 참는다. 이혼후에 서로의 결혼식에도 가서 축하 해주고 하는 건 확실히 이 나라의 정서는 아니라는 생각이 든다.

"우리 어디 가서 얘기좀 하자"하는 기영을 뿌리치고 은혜는 다시 자기 차에 오른다. 그런데 시동이 걸리질 않는다. 그녀는 난감해진다.

그러고 있자 기영이 다가와서 자기가 시동을 걸어보더니 은혜의 의향은 묻지도 않고 견인차를 부른다.

공업사에서 차가 수리되는 동안 은혜와 기영은 사무실 좁은 장의자에 앉아 직원이 뽑아준 자판기 커피를 마시고 있다.

"걔하구는...정말 아무 일도 없었어. 믿어줘. 이제 와서까지 거짓 말 할 필요는 없잖아"라는 기영의 말에 은혜는 약간 동요하지만 이제 와서 사실이면 어떻고 아니면 어떠랴는 심정이 된다. 다 물거품이 된 지금...

"일본 출장 가서도 방을 따로 잡았고 밤에 전화한 건 야근하다 모르는 게 있다고 급히 도와달라고 해서 간 거고 도와줘서 고맙 다며 속옷 사준거야."라고 그는 해명을 하였다.

그러자 은혜는 어이가 없다. "고맙다고 팬티를 사주는 부하 여직원이 어딨어"라며 그녀가 목소리 톤을 높인다. 그때 수리를 끝낸 직원이 들어서며 둘의 대화가 끊어진다. 직원은 견적서를 은혜에게 내보인다. 은혜가 신용카드를 꺼내려고 장지갑을 꺼는데 그녀보다 앞서 기영이 카드를 직원에게 준다.

"왜 당신이?"라는 은혜의 눈빛에도 기영은 아무 말이 없다.

그렇게 공업사를 빠져나온 둘은 각자의 차로간다.

"정말 진이 보러 가도 돼?" 기영이 자기 차에 타면서 물어온다.

"그러든가..다 그렇게 해. 어쨌든 아빠잖아"라고 은혜가 대답한다

내부 순환도로를 타며 은혜는 기영이 한 말이 참일까 거짓일까를 곰곰 생각해 본다.

여러 정황상 그를 의심할만했다. 하지만 그는 그때도 지금도 아니라고 하지 않는가...하지만 아무에게나, 것도 어려운 선배에게 속옷 선물을 한다는 게 말이나 되는가...그녀는 흔들리는 마음을 붙잡기로 한다. 기영은 여태 거짓말을 하고 있다. 사연은 모르겠지만 그 둘은 잘 안됐고 아마 헤어졌으리라. 아니면 쉬쉬 하면서 여태 사내 연애 중이든가. 그러다 자기를 우연히 만나고 보니 마음이 흔들렸을테고 아이 생각도 났을테고 해서 간보기 식의 접근을 한 것이라고 그녀는 결론내린다. 그러고 나니 혹시

자신이 '오해'로 이혼한 걸지도 모른다는 후회에서 완전히 벗어나는 느낌이다.

그렇게 아파트 정문을 지나쳐 102동 앞에 주차를 하는데 저만치 먼저 와서 자신을 기다리는 기영이 보인다.
"진이 보고 싶어서.."라는 그의 말을 은혜는 믿어야 할지 말아야 할지 모르겠다.

창 밖으로 함박눈이 내리자 진이는 오랜만에 본 아빠의 손을 끌며 나가서 놀자고 하였다. 슬금슬금 은혜의 눈치를 보던 기영은 잘됐다 싶은 마음에 진이를 번쩍 들어올려 밖으로 나간다.
그리고 부녀는 굵은 눈발을 맞으며 열심히 눈을 굴린다. 눈뭉치기 쉽지 않을텐데, 라는 생각을 하며 10층 발코니에서 은혜가 내려다본다. 부녀는 은혜의 예감대로 조금 눈을 뭉쳤다 싶으면 이내 허물어지고 다시 뭉치면 또 무너져버리고 하자 결국엔 눈사람 만들기를 포기하고 대신 눈싸움에 돌입한다. 아이가 먼저 눈을 던지자 얻어맞은 기영이 잔뜩 눈을 뭉쳐 아이를 위협하고 아이는 이리저리 도망다니며 까르륵 웃어댄다. 10층까지 아이의 웃음소리가 들려온다. 기영과 헤어진 후에 진이가 저렇게 웃은 적이 있었나 싶을 정도다...

그런 둘의 모습을 보려 은혜는 무엇이 나을까, 어떤 것이 최선일까를 곰곰이 생각해본다. 썩 개운치는 않지만 기영을 다시 받아주는 게 맞을까, 아니면 내쳐야 하는 걸까, 사이에서 그녀의 마음은 요동치기 시작한다.

그때 불에 올려놓은 찌개가 넘치는 소리가 들려 그녀는 얼른 가스 불을 줄이고 냄비 뚜껑을 연다. 그러자 부풀어 올랐던 찌개가 다시 가라앉는다. 비록 냄비는 국물로 뒤범벅 되었지만 씻으면 되는 것이다...헹궈내면 된다 관계도.

그리고는 밖을 내다보니 부녀는 그동안 비록 여기저기 찌그러졌지만 자그만 눈사람 하나를 완성해놓고는 좋아라 하이파이브를 하고 있다. 물끄러미 보던 그녀는 식탁에 놓여있는 전화기를 집어든다. 그리고는 기영에게 전화를 건다.

"올라와 밥 다 됐어"

그말에 기영은 잠시 뜸을 들이더니

"고맙다 은혜야"라고 답한다.

은혜가 테이블 세팅을 마치고 주방을 나서는데 어디선가 쩽그랑 유리 깨지는 소리가 들린다. 응? 하고 돌아보니 자신이 식탁을 지날때 기영의 물컵을 건드린 모양이다. 자잘한 유리 파편이 바닥에 흩어져있다. 아이가 다치기라도 할까, 그녀는 서둘러 휴지로 유리 파편을 치우다가 기어코 손가락을 베이고 만다. 검붉은 피가 뚝뚝 바닥에 떨어진다.

<내 남자의 결혼식>

주영은 며칠째 아무 연락도 없는 기원에게 무슨 일이라도 생겼
나 걱정이 된다. 전화를 해도 연결이 안되고 메시지를 보내도
그에게서는 답이 없다.
그러다 늦은밤 그에게서 짤막하게 메시지가 도착한다.
"속초에 갔었어"라고만.
누구와, 왜 갑자기 동해에 갔는지는 설명이 없다. 늘 심하다 싶
을 정도로 깨알같이 서로의 일상을 공유하던 사인데 무언가 변
하고 있다는 생각이 든다.

"그거 때문에 온거야 여기까지?"
다음날 점심시간 기원의 회사 앞으로 주영이 찾아가자 기원은
어이가 없다는 듯이 허허 웃어댄다.
"너 정말 아무 일 없지?"
그 말에 기원은 물끄러미 주영을 쳐다본다.
"일이 ...있지"라며 그가 의뭉스런 웃음을 지어 보인다. 순간 주
영은 그게 '여자'라는 느낌이 강하게 온다.
"너, 여자 생겼구나"

147/233

"야, 돗자리 깔아라"며 기원이 흘러내리지도 않은 뿔테 안경을 살짝 치켜 올린다.

대학 신입생 때 도서관에서 자리 다툼을 하다 알게 됐으니 둘이 알고 지낸 시간도 10년이 훌쩍 넘는다. 그러다보니 서로의 크고 작은 개인사를 서로 다 알고 있고 설령 숨기려 해도 들키는 건 시간 문제였다.
"응. 이번에 우리 팀 막내로 들어온 후밴데.."하면서 기원이 자기 앞에 놓인 생과일 쥬스를 홀짝인다.
"그런데...벌써 단둘이 속초까지?"라는 주영의 말에 기원이 씩 웃는다.
"미안, 벌써는 아니고 좀 됐지 그러니까.."라며 기원이 대답한다

둘은 10년 이상을 친구로 지낸 탓에 서로의 이성 문제까지도 훤히 꿰고 있었다. 둘 다 연애에는 지지리도 소질도 운도 없어 번번이 차이든가 양다리에서 밀리든가 했고 그러면 마치 탕아가 고향에 돌아오듯 서로에게 돌아 와 하소연을 해댔다. 그렇게 서로에게서 위안을 받고 다시 살아갈 힘을 얻고 하던 사이였는데 기원이 이번만은 심상치가 않다.
"너, 결혼까지 생각하는구나" 주영이 슬쩍 넘겨 짚어본다. "그건 아냐"라는 대답이 나오리라 예상하고.

하지만 기원은 "글쎄"라며 묘한 여운의 대답을 남기더니 회사에 들어가 봐야 한다며 서둘러 자리를 뜬다. 주영은 왠지 기원의 삶에서 밀려난 느낌이다.

보름 후로 잡힌 회사 패션쇼 준비 때문에 주영은 눈코 뜰 새 없는 나날을 보낸다. 그러다 잠깐이라도 틈이 나면 여지없이 기원의 그 애매한 대답이 떠오른다. 글쎄,라던.
그러고 있는데 참가 모델 하나가 갑자기 몸이 안좋아서 무대에 설 수 없다는 연락을 해온다. 중요한 포지션이어서 그녀를 빼고 갈 수도 없다. 대표 s는 주영에게 대체 모델 명단을 건네고 빨리 전화를 돌리라고 한다. 주영은 오후 내내 그 일로 정신이 없다.
다 저녁이 돼서 간신히 대체 모델을 섭외한 그녀가 막 퇴근을 하려고 종일 가방 깊숙이 넣어두었던 휴대전화를 꺼내는 순간 기원의 부재전화가 세 통이나 와있는 걸 확인한다. 무슨 일일까?

기원은 첫눈에도 어리고 여리여리해 보이는 그 '후배'라는 여자와 나란히 주영의 회사 근처 까페에서 주영을 기다리고 있다.

주영은 억지 미소를 지으며 둘에게로 가서 앉는다. 기원의 그녀는 '강해주'라며 자신을 소개한다. 여린 외모와는 달리 똑부러지는 데가 있어보이는 전형적인 요즘 세대다. 그녀를 보자 주영은 자신이 한참 늙었다는 생각이 든다.

"넌 뭐하느라 전화도 안 받냐" 기원이 타박을 한다.

"어..회사에 일이 좀 생겼어 . 그거 처리하느라고..."

하는데 해주라는 그녀가 "언니"라는 호칭을 쓰며 살갑게 굴기 시작한다.

"오빠가...언니한테 주라는데...부케"

그말에 주영은 머리를 세게 한대 얻어 맞은 기분이다. 그리고 그순간 허공에서 기원과 눈이 마주친다

"결혼, 하니?"

그 말에 기원이 머리를 긁적인다.

"그렇게 됐어...속도 위반"하고 그가 씩 웃으며 옆의 해주의 허리를 감싸 안는다.

주영은 아직 노안이 올 때도 아닌데 눈앞이 캄캄해진다...

"지난번 속초 갔을때..."라며 기원이 해주와 눈을 맞춘다.

주영은 자신이 왜 이자리에 있어야 하는지를 알 수가 없다.

"나는 왜 보자고?"

"너는 당연히 알아야지 베픈데..올거지 결혼식?"

아무리 혼전 임신이라도 날을 너무 빨리 잡았다는 생각이 든다.

보름후라니. 그러고보니 주영회사의 패션쇼가 열리는 날이었다.

"어쩌면 못갈 수도 있어"라는 그녀의 말에 기원은 "왜?"하고 버럭 소리를 지른다.

주영은 어이가 없고 은근 화도 난다. 내가 꼭 지 결혼식에 가야하나,그런 생각이 그녀를 스쳐간다.

"회사 행사랑 겹쳐서"라는 그녀의 대답에

"야,나 장가가는데 니가 빠지면 돼?"라고 기원은 계속 씩씩거린다.

그러자 해주가 옆에서 거든다.

"언니 안오심 섭섭해요 저..."

서로 언제부터 알았다고...

다행히 행사는 오후 4시부터였고 기원의 결혼식은 2시였다. 2시간의 텀이 있으니 빠르게 움직이면 두건 다 소화할 수 있다는 생각에 주영은 아침부터 마음이 바쁘기만 하다. 부지런히 머리에 웨이브를 넣으면서도 자신이 누구에게 이쁘게 보이려고 이러나 싶다.

그녀는 주말이고 해서 길이라도 막힐까 봐 지하철을 타고 강남으로 향한다.   피로연까지는 참석할 시간이 안된다. 그냥 얼굴 도장 찍고 축의금내고 예식 앞부분만 보고 나오자, 패션쇼 장에는 최소 30분 전에는 도착해야 한다....

마음 급한 그녀가 막 예식홀에 들어서는데 저만치서 헤벌쭉 웃고 있는 기원이 눈에 들어온다. 덜떨어진 놈... 주영은 괜히 아니꼬운 생각이 든다. 그러고 있는 주영을 알아보고는 기원이 성큼성큼 다가온다.

"축의금좀 많이 내라"

그말에 주영은 어퍼컷이라도 날리고 싶은 걸 간신히 참는다. 대신 싸늘하게 눈을 흘기고 , 준비해온 봉투를 축의금 함에 넣는다.

"해주 보려면 신부 대기실에 가봐"라며 기원은 또 반푼이같은 미소를 짓는다.

"그만좀 해. 좀!"하고 주영이 눈치를 주자 기원이 머쓱해 한다.

해주는 친구들에 둘러싸여 계속 사진 찍느라 바쁘기만 하다. 이쁘긴 이쁘다...라고 주영은 생각한다. 이제 20대 중반이니 자기보다 한참 어린 셈이다. 저 반푼이 놈 , 운도좋네, 라며 신부 대기실 입구를 서성이는데 "언니!"하고 해주가 부르는 소리가 들린다. "이쁘다 해주씨..."라며 그녀는 정해진 너스레를 떨어준다.

예식 앞부분만 본다는 게 부케 받고, 친구들 사진 타임까지 가다 보니 주영은 자칫 회사행사를 놓치게 생겼다. 사진 찍고 성급히 홀을 빠져나오는데 기원이 눈치도 없이 따라 나온다.

"어디 가?"

"나 오늘 회사 행사 있다고 했잖아"

"태워다 줄까?"

"미친놈..."

그리고는 주영은 냅다 뛰기 시작한다. 그러다 오른쪽 하이힐 굽이 부러져버린다.

"야 , 안되겠다 내가 데려다줄게"라며 뒤쫓아온 기원이 부러진 굽을 주우며 말한다..

순간 둘의 시선이 부딪친다.

나쁜자식...

그러나 기원은 그말을 제대로 듣지 못해 뭐? 하는 표정을 짓는다.

"됐어. 이 그지같은 놈!"하고 주영은 기원의 손에서 부러진 신발 굽을 낚아채 건물 밖으로 뛰쳐나간다.

하지만 주말이고 예식장 근처라 빈 택시가 보이질 않는다. 계속 시간을 보며 발을 동동 구르는 주영 앞으로 리무진 한대가 스르륵 미끄러져 온다. 아직도 저러고 신혼여행을 가는 반푼이가 있나, 하고는 요란하게 풍선이며 꽃, 깡통으로 치장한 그 차를 보던 주영은 운전석에서 치아를 드러내며 자기를 향해 미소를 날리는 기원을 보게 된다.

기원이 모는'렌트한 리무진'을 타고 주영은 늦었다며 계속 투덜댄다.

기원은 차로 꽉 막힌 주말 도로를 곡예하듯 잘도 빠져나가 패션쇼 개막 딱 10분 전에 행사장 앞에 차를 갖다 댄다. 그리고 둘은 서로 장한 일이라도 한 양 서로 얼싸안는다. 무언가 힘든일을 해내면 늘 하던 행동이었던지라 한참을 그러고 있다가 주영은 , 이게 아닌데,라는 생각이 들어 그에게서 떨어진다...그러자 기원도 멋쩍어 하며 "나 참 결혼했지"라고 배시시 웃는다.
"해주가 기다리겠다 빨리 가봐"라고 하자 기원은 "홧팅!"하며 난데없는 구호를 외친다.

차에서 내려 행사장 입구 회전문을 타던 주영이 힐끔 뒤를 돌아본다. 그러자 기원이 여태 가지 않고 차에서 내려 두 손으로 큰 하트를 그려 보이는 게 눈에 들어온다. 얼빠진 놈...
그녀는 어서 가라는 손짓을 하고 재빨리 회전문을 통과해 엘리베이터로 달려가는데 또다시 노안이 왔는지 눈앞이 흐려지며 콧물까지 흘러나온다.

<그의 청혼>

다시 보면 이 말을 해야지,하고는 여러번 되뇌었던 그 어떤 말
도 형석과 마주하자 입으로 나오질 않는다. 이상한 일이었다. 1
년만에 걸려온 그의 전화를 받고 어젯밤에는 잠까지 설쳤는데.
애린은 오랜만에 마주앉은 형석과 서로 눈만 껌벅이며 어색하게
시간만 보낸다. 별일 없었냐는 그의 물음에도 그저 고개만 끄덕
일 뿐 별 감흥이 없다.
"우리 연극 하나 볼까? 실은 내가 예매했는데"
라며 형석이 슬쩍 운을 뗀다. 애린은 그러나 그의 제안에 이렇
다 저렇다 대답을 하지 않는다. 봐도 그만 안봐도 그만이라는
생각이다.

헤어져 있는 동안 다른 사람을 마음에 둔 적도 그렇다고 애써
형석을 잊으려 한 것도 아닌데 오히려 그의 전화며 연락을 애면
글면 기다리다시피 하였는데 그것이 현실로 다가오자 정작 어떻
게 대응하고 반응해야 할지를 모르겠다. 커피를 반쯤 마시고 그
녀는 마지못해 물어본다. 무슨 연극인데? 하자 형석은 그제야
안도하는 얼굴이 되면서 , 너 좋아하는 에드워드 알비거야. <동
물원이야기>

그 연극이라면 애린도 꼭 한번은 보고 싶었다. 학부 미국문학사 시간에 원어로 그 희곡을 읽으며 애린은 '부조리문학''실존주의'에 눈을 떴다 해도 과언이 아니었다. '나를 죽여서라도 소통하자'는 마지막 메시지가 그만큼 강렬하게 와닿은 것이다. 그런데 10여년이 흘러 이제는 연극으로 볼수 있게 되었다. 원작의 감흥을 얼마나 살려냈는지는 모르지만....

"언젠데? 나 요즘 자주 야근 걸려서"라고 애린이 답하자 형석의 얼굴이 금방 어두워진다.

"내키지 않으면 말고"라며 그가 주섬주섬 일어나려 한다. 이대로 헤어지면 아마 다시는 볼 수 없으리라..그런데도 애린은 애써 그를 잡고 싶지가 않다.

둘은 대학로 까페를 나와 종로쪽으로 길을 잡고 있다.

"건강은 괜찮지?"

그 말에 애린은 쿡 웃음이 나온다. 뜬금없이 건강은....특별한 경우가 아니고서야 나이 서른 초반에 무슨 일이 있을까...그런데 곧이어 자신도 똑같은 질문을 한다.

"너도 건강하지?"

이쯤 되면 서로 할말은 다했다 봐야 했다. 그럼 연극은 다음에 보자..꽤 길게 하거든...하면서 형석이 헤어지자는 눈치를 보인다.

애린은 잡으려면 지금 잡아야 한다고 느끼면서도 왠지 그럴 마음이 강하게 일지 않는다.

그렇게 형석과 이도 저도 아닌, 재회도 재 이별도 아닌 애매한 만남을 갖고 집에 들어선 애린은 형석을 만나기 위해 그나름 공들여 했던 화장을 지우기 시작한다. 그러자 드러나는 민낯이, 자신도 이제는 더 이상 팽팽한 10년 전 여대생이 아님을 말해주고 있다. 내 마음이 변했나...

이후 일주일은 그야말로 눈코 뜰 새 없이 바빴다. 특근 수당도 없이 허구한 날 야근에 주말까지 반납하며 근무를 해서 겨우겨우 납품을 마친 후 애린은 동료들과 함께 회사 근처 호프집으로 향했다. 오랜만에 눈발이 날리는 휴일 저녁이었다.
그렇게 술집 가까이 이르렀을때 뒤에서 짧게 자동차 경적이 들렸다. 애린이 힐끔 돌아보자 눈에 익은 흰색 suv가 자신을 향해 천천히 다가온다. 형석의 차였다. 자신이 수도없이 보조석에 탔던 그 차였다. 아마도 지난번 봤을때 요즘 주말에도 근무를 한다는 얘기를 했던 거 같다. 그렇다면 언제 끝날지도 모르는 애린을 형석은 하루 종일 기다렸다는 얘기가 된다.
동료들을 먼저 호프집으로 들여보내고 애린은 그 자리에 남았다.
"우리 어디가서 저녁 먹을까?"형석이 차에서 내리면서 말한다.

지금쯤 동료들도 호프집을 나왔을 거 같다.

두번에 나뉘어 세팅된 정식을 다 먹고나자 애린은 몸의 냉기가 스르르 가시는 느낌이었다.

"나 추웠나 봐.."하며 애린이 자기 앞의 뜨거운 물을 후후 불어 대며 마셔댄다.

"나, 실은 한 사람 만났었는데"라며 형석이 조심스레 입을 연다.

형석이 다른 여자를 만났었다는데도 애린의 마음은 차분하기만 하다.

"좋은 사람이었을텐데..."하며 그녀는 무심하게 말을 한다.

"너만한 사람이 없더라구..."

그 말은 지금은 '그녀'가 형석의 곁에 없다는 얘기리라..

"결혼, 할까 우리?"라며 형석이 한참을 머뭇거리다 용기를 낸다.

그러나 애린은 단번에 고개를 젓는다. 그러자 형석이 어느 정도 예상을 했다는 듯이 고개를 주억거린다.

"데려다줄게"

둘이 레스토랑 밖으로 나오자 형석이 자기 차로 가면서 말한다. 애린은 어찌해야 할지 몰라 머뭇거린다. 그러자 리모콘으로 차 문을 열던 형석이 뒤를 돌아본다.

"그냥 갈래 그럼?"

'응. 택시 탈게"

애린의 짧고도 분명한 거절이 그에게 그 어떤 여지도 남기지 않은 눈치다. 형석은 오른손을 내밀어 악수를 청한다.

"뭐야 이건"하면서도 애린은 그손을 쥔다.

둘은 그렇게 악수를 나누고 완전히 헤어지기로 무언의 합의를 본다.

잠시 후 애린이 지켜보는 앞에서 형석의 차가 부르릉 멀어져 간다...

그렇게 멀어져가는 그의 차를 보던 애린의 마음이 갑자기 동요하기 시작한다. 기회였는데 내가 놓친걸까, 하는 마음에 그녀는 갈피를 잡을수가 없다.

그러는데 잠시 멎었던 눈이 다시 내리기 시작한다. 눈발은 금방 굵어져서 그녀를 눈사람으로 만든다. 그녀는 마지막이라는 심정으로 형석에게 문자를 날린다

"눈길 운전 조심해"

그러자 잠시 후 운전중에 급히 찍었는지 오타 섞인 답문이 날아온다.

"너 파서 행고켔어"라는.

그녀는 그 문장을 수정해본다 '너를 봐서 행복했어'라고. 그러는

데 저만치 빈 택시 한대가 애린 앞에 와서 조용히 멈춘다. 세운 적도 없는데...반사적으로 택시 문을 열던 그녀가 멈칫한다. 이 차를 타고 가면 다시는 형석을 볼 수 없다는 생각이 그녀를 휘감는다. 애린은 다시 택시 문을 닫는다. 그러자 기사는 혼자 구시렁대더니 그대로 차를 몰고 저 멀리 가버린다.

이번에는 애린이 급하게 문자를 찍어댄다. 그 바람에 오타가 난다.

"도라와주네?"

그렇게 문자를 날렸지만 형석에게서는 답문이 오지 않는다. 1년 이라는 시간이 서로를 타인으로 만들었다는 조금 전까지의 감정은 사실이 아니었다. 잠시 어색했을 뿐, 그녀에게는 여전히 형석 하나 뿐이었다...그녀가 망연자실하고 있는데 옆에 차 한대가 와서 멈추는 기척이 느껴진다. 형석의 차였다.

"뭐야 . 오타나 날리고"라며 그가 운전석에서 배시시 웃는다. 애린은 그가 또 가버릴까 후다닥 조수석 문을 열고 올라 탄다.

"눈 많이 온다 그치?"

애린의 속을 다 들켜버린 그 말에 형석이 "결혼, 해줄래?"라며 다시 한번 묻는다. 그 말에 눈물이 그렁한 채로 애린은 두팔로 그의 목을 감는다.

<인어의 눈물>

전화기 너머 영민의 목소리를 들어본 게 얼마만인가, 수지는 수 없이 그와 통화하고 만나는 상상을 해왔으면서도 정작 그의 전화를 받자 경직되고 만다.

"잘지냈지?"
그의 물음에 그녀는 가타부타 답을 하지 못한다. 그러자 영민은 조금 주저하는 톤으로
"누구랑 같이 있나?"라고 물어왔다.
"건 아니고.."라고 수지는 답을 하지만 뭔가 그를 거부하는 느낌을 준거 같아 여간 후회되는게 아니다.
그렇게 둘의 대화는 이어졌다 끊기기를 몇번 반복하다 영민의 "그냥 잘 지내나 궁금했어"라는 말로 끝나고 말았다.

그렇게 통화가 허망하게 끝나자 수지는 자신이 너무도 위선적이고 못나게 여겨진다. 만나자고, 보고 싶었다고 왜 이야기를 하지 못했을까, 여간 후회되는 게 아니다. 그러고는 다시 전화를 해볼까 하지만 결국엔 포기하고 만다.

6개월 전 영민과 헤어질 때도 그는 한사코 이별을 원하지 않았

다. 그런걸 수지 쪽에서 강경하게 밀고 나가 둘은 결국 헤어졌다. 그러나 그렇게 터덜터덜 집으로 돌아오면서도 수지는 여러 번 뒤를 돌아보았다. 혹시나 영민이 따라오진 않나해서...

그런데 이상한 것은 둘이 헤어진 뒤 수지는 막혔던 일들이 술술 풀리기 시작했다. 배급사까지 정해지면 연락 주겠노라 하고 한없이 질질 끌던 영화제작사에서 수지의 시나리오로 드디어 영화를 제작하게 되었다며 연락을 해온 것이다. 그렇게 해서 영화 작업은 순조롭게 진행되었다.

일이 그렇게 풀려나가자 수지는 영민과는 연이 아니었다는 결론에 이르렀다.
하지만 영화는 마지막 후반 작업만 놔두고 악재가 터졌다. 바로 남주인 t가 성스캔들에 연루되었다는 보도가 쏟아져나왔고 이어서 마약에 연루되었다는 이야기도 떠돌었다.
그렇게 해서 후반작업은 기약 없이 뒤로 미뤄지고 설사 완료된다 해도 개봉 자체가 불투명해졌다. 그러자 일에 쏟던 시간이며 정신이 온통 다시 영민에게로 향하게 되었다.

그런가하면 포털에서 확인한 영민의 근황 역시 굴곡을 겪고 있었다. 어렵게 투자를 받아 무대에 올린 뮤지컬이 표절 시비에

휘말려 여론의 질타와 함께 막을 내려야했다. 그런 그의 삶의 흐름을 보면서 영민도 그 순간 자신을 그리워할지 모른다는 생각이 들었다. 해서 한번 연락을 해볼까, 하다가 전화기를 다시 내려놓은 게 한두번이 아니다...

이렇게 자신의 시나리오가 드디어 빛을 발하는 순간 물거품이 됐는가 하면 영민도 온갖 고생을 다하며 준비해 온 뮤지컬이 수포로 돌아갔다. 그렇게 해서 제작자인 영민은 잔뜩 빚을 지게 되었다는 기사를 보면서 수지는 자신의 일인양 가슴이 아팠다. 그럴수록 그는 더더욱 그녀 속으로 파고들었다. 그리고 궁금했다. 그도 그런지...

수지는 언젠가 그의 원룸근처로 그를 만나러 가기도 하였다. 그때 마침 좁은 골목길을 영민의 경차가 들어서고 있었다. 순간 그녀는 저도 모르게 담벼락에 몸을 숨겼고 영민은 그녀를 보지 못하고 지나쳐갔다. 그렇게 그들의 재회는 이루어지지 않았다.

그런 뒤 집에 돌아온 수지는 이러다 진짜 영 이별하는 게 아닌가 조마조마했다. 그러고 있는데 요란하게 컬러링이 울려댔다. 기적처럼, 거짓말처럼 영민의 전화였다.

"나야..."

"궁금해서"

"잘지내 난..."

그리고 둘 사이엔 또다시 침묵이 끼어들었다. 수지는 이 전화를 이대로 끊었다가는 평생 후회할거 같다는 생각에 만나자고 하고 싶었지만 그말은 말이 되지 못했다. 소리가 나오질 않는다 아무리 애를 써도.

"누구..생겼니 그동안?"

그런 그의 물음에 수지는 당장 "아니"라고 대답해야 함을 알면서도 아무 말도 나오질 않아 발버둥을 친다. 성대에 이상이 생기지 않고서야...그러자 떠오르는 기억이 하나 있다.

예술계 중학을 나온 그녀는 일반고로 진학한 뒤 자기소개를 하는 시간에 이렇게 소리가 나오질 않았다. 학기 초라 교복이 채 준비되지 않은 학생들은 중학 때 교복을 당분간 입어도 된다고 해서 그녀는 누가 봐도 '튀는' 중학교 그 교복을 입고 다녀 안 그래도 무언의 질타를 받았는데 반 아이들 전체가 주시하는 상황에서 소리가 나오지 않아 애를 먹었다...그러자 안됐는지 담임

165/233

선생이 그만 들어가라고 해서 그녀는 자리로 돌아갔었다.

수지가 그 어떤 소리도 내지 못하는 동안 영민은 "그렇구나.."하고는 잘 지내라며 전화를 끊는다. 그제서야 수지는 소리를 되찾고 엉엉 울었다.

둘 다 힘든 시기인 만큼 둘이 재결합할 여지도, 확률도 많았다. 동병상련이라고 이것도 기회라면 기회였다. 그럼에도 번번이 어긋나기만 하는 걸 보면서 수지는 다시 한번 영민과는 아니라는 생각이 들었다.

그와의 관계는 늘 같은 패턴을 반복했다. 강대강이 만난 걸까, 서로 지지 않으려고 서로를 할퀴고 비난하다 결국엔 돌아서곤 하였다. 그래놓고는 자학과 비탄에 빠져들어 사경을 헤매곤 하였다. 하지만 이미 '이별'을 말해버린 뒤라 관계를 되돌린다는 게 웬만한 굽힘과 용기가 없으면 안되는 것이었고, 그럼에도 잊혀지질 않았다.

수지는 영민을 찾아가기로 마음먹는다. 그리고는 이틀전에 받은 흰색 격자 퀼팅 패딩을 걸치고 나가다 아차 싶어 다시 거울 앞에 선다. 그리고는 긴 생머리에 웨이브를 넣는다. 그러고나니 아예 화장을 하고 싶어 화장대 스툴을 가져다 앉아서 정성스레 화장을 한다. 그렇게 하다보니 한시간이 훌쩍 지나간다. 이제는 됐겠지,하면서 그녀는 다시 그 흰색 패딩을 걸치고 집을 나가는데 전화 컬러링이 들려온다. 뭐지? 하고 가방에 넣어놓은 휴대전화를 꺼내는데 컬러링이 뚝 끊기고 만다. 발신자는 영민이었다. 수지의 온몸에서 힘이 스르륵 빠져나간다. 만나러 가려고 했잖아. 조금만 더 기다렸으면 우리 만나는 거였잖아.

그러고 있는데 띠링, 문자 알람이 울린다.
"나 남도 간다."
영민은 딱 그 말만 찍어 보냈다. 그러고 보니 이맘때면 그가 고향인 남도에 내려가 갯바위 낚시를 한다는 생각이 수지를 스쳐간다. 그러면서 둘이 함께 했던 초겨울의 남도가 아스라이 떠오른다...거짓말처럼 멀리서 뱃고동 소리가 들려오고 갈매기가 떼지어 날던 눈부신 햇살이 내리 꽂히던 그 남해...

그 바다를 복기하다 보니 수지는 가슴이 먹먹해 온다. 또 어긋났어...하고는그녀는 흐느끼기 시작한다. 그의 이름을 부르려면 말이 나오질 않고 그를 만나러 가려하면 그가 다른 곳으로 가버리고...우린 왜 이렇게 어긋나기만 하는걸까, 이번엔 정말 헤어진 걸까...

한참을 울다보니 공들여 한 화장이 엉망이 다 되었다. 수지는 어릿광대같은 자신의 얼굴을 거울너머로 물끄러미 보다 결심이 선 듯 저만치 놓여있는 자신의 배낭에 세면도구며 화장품, 속옷가지를 되는대로 쑤셔 박고 서둘러 집을 나선다.

영민이 어느 곳에 있는지도 모르면서 수지는 초겨울 그 갯바위를 기억으로 더듬어 찾아간다. 서울에서 ktx를 잡아타고 3시간 넘게 달려 이곳 남도에 오는 동안 수지는 딱 한가지만 바랐다. 만나서 재이별한다 해도 꼭 한번은 그를 봐야 한다는...

그렇게 여기저기 영민의 이름을 부르며 갯바위를 헤매는 수지의 등 뒤로 기척이 느껴진다. 그리고는 그녀를 돌려세우는 손이 있다. 수지는 슬로우모션이라도 걸린 것처럼 서서히 고개를 돌린다. 바다 위의 햇살이 너무나 눈이 부시다..

<밀월>

경수는 아침 일찍, 아니, 새벽에 걸려온 윤주의 전화에 은근 짜
증이 난다. 안 그래도 전날 늦게까지 야근하고 파김치가 다 돼
서 집에 들어와 씻지도 못하고 잠을 잤는데 몇시간 자지도 못하
고 깼기 때문이다.

"뭐? 지금? 나 회사는 어떻게 해?"
윤주는 다짜고짜 여행을 가자고 하였다. 답답하다고.

둘은 대학시절 , 서로 이웃한 학교에 다녔고 어느날 윤주가 친
구와 경수의 학교에 놀러갔다가 만난 케이스였다. 그날 마침
학기말 시험이 끝난 날이라 경수는 친구들과 소 운동장에서 농
구를 하고 있었고 놀러온 윤주가 그걸 구경하다 만났다.
그들은 학교의 같고 다름을 떠나 '청춘'이라는 공통분모로 친해
졌고 대학 근처 호프집에서 서로 통성명을 하면서 친구먹기를
하였다.

그렇게 알아온게 벌써 10년이 훌쩍 넘어간다. 대학을 졸업하고
둘 다 결혼할 사람들이 있었지만 이런저런 일련의 일들로 헤어

지고 여태 둘은 솔로의 삶을 살고 있다. 해서 가끔은 서로에게 매치메이커도 돼주었지만 나이 서른 넘어 한 소개팅이 연애나 결혼으로 이어지는 건 쉬운일이 아니었다.

"나 원고 지금 끝내고 보냈거든...바다 보고 싶어"라고 윤주는 재차 여행을 우겨댔다. 경수는 그렇게 그녀의 강권에 떠밀리듯 월차를 내고 그녀와 함께 동해로 출발했다.

"뭐야 샐러리맨한테 회사 빠지라고 하고"툴툴대면서도 그는 연신 가속 페달을 밟아댄다. 안그래도 요즘 거래처와의 마찰, 윗선의 계속되는 압력에 '이놈의 회사를 때려쳐?'라며 사직서를 안주머니에 넣고 다니던 터라 윤주를 핑계삼아 이렇게라도 회사 바깥의 자유를 만끽하고 싶었다.

그렇게 도착한 그날, 둘은 간단히 회와 매운탕으로 식사를 해결하고 윤주의 바람대로 질리도록 바다를 감상한 뒤 돌아오기로 돼 있었다. 그러나 윤주는 끈금없이 '내일 일찍 가면 안돼?"라며 1박을 원했고 둘이 여행은 같이 다녀봤지만 죄다 당일치기였던지라 경수는 선뜻 대답하질 못했다.

"그럼 넌 올라가. 난 하루 자고 갈게"라며 그녀는 완강했고 계산을 해보니 다음날 새벽 일찍 출발하면 회사에 늦지 않는다는 계산이 나와서 경수도 그러자고 동의를 하였다.

그렇게 들어선 펜션엔 침대가 하나밖에 없었다. 10센티 두께의 얇은 매트리스며 나란히 놓인 낮은 베개들을 보면서 둘은 서로가 어색해졌다. 경수는 구석의 한통짜리 여닫이 옷장을 열어보고는 '여분 이불이 없네'라며 투덜댔다. 그러자 윤주가 깔깔댄다.

"야 , 우리가 한침대에서 잔다 한들 뭔 일 있을라구?"

그말에 경수는 괜히 멋쩍어서 자기 머리를 벅벅 긁어댄다.

그렇게 둘은 차례로 샤워를 마치고 챙겨온 잠옷을 입고는 나란히 침대에 눕는다.

"왜 우린 10년 넘게 손 한번 안 잡았을까?"

경수가 용기를 내서 무드를 잡아본다.

"너 쓸데없는 짓 하면 죽인다!"라며 윤주가 벽을 향해 돌아눕는다.

"너 무슨 상상하는 거야"라며 경수도 그녀와 등을 맞댄 자세로 돌아눕는다.

그러고 있자니 키득키득 웃음이 나온다.

"너 해봤냐?"

경수는 여태 그게 궁금하다. 물론 결혼까지 약속한 남자가 있었기에 윤주가 아직도 '첫경험'조차 못했다는 생각은 그리 들지 않지만 그래도 왠지 윤주는 '안했을거 같다'는 생각도 동시에 드는

171/233

게 사실이었다. 성별을 막론하고 걸걸하게 대하는 태도가 이성에게는 마이너스로 작용할수도 있기 때문이다.

"자라.죽인다 그런 말 하면"

"알았어"라고 이번엔 윤주의 널따란 등을 보며 그가 돌아눕는다. 브래지어끈이 얇은 면티 아래서 살짝 흔적을 드러냈다. 순간 경수는 장난기가 발동해서 윤주의 브래지어끈을 탕 튕겨본다.

"죽을래?"

거의 반사적으로 윤주는 벌떡 일어나더니 자기 베개로 경수를 가격했다.

"알았어 알았어"

경수는 죽어라 비는 시늉을 하고 둘은 그제야 잠에 빠져들었다.

그렇게 두어 시간을 잤을까, 경수는 자기 아랫도리에 자극이 가해지는 걸 느낀다. 뭐지? 설마? 하고 눈을 뜬 그는 윤주가 자신의 남성을 만지작거리고 있는걸 보았다. 이게 미쳤나...그래도 그는 아는 척을 할 수 없어 그대로 자는 척 한다. 하지만 윤주는 그 이상 나아가지 않고 다시 그의 남성을 팬티 속에 넣어주고 파자마를 올려준다.

애 뭐하는 거야...

순간, 도발된 경수가 냅다 윤주를 덮친다.

"너 다신 안 본다"

올라오는 길에 윤주는 내내 입이 댓자로 나온 채 툴툴거렸다.

"지가 먼저 해놓고"

"내가 뭘..."

그게 '무엇'이라는 말을 차마 하지는 못하겠다. 다만, 윤주의 그 과감한 행동이 여태 놀라울 따름이다.

"우리 서로 퉁쳤으니까 이걸로 다신 이 얘기 안하는 거다?"

"내가 뭐."하다 보니 경수가 윤주의 브래지어끈을 갖고 논 게 떠오른다.

"알았어..."라며 그는 출근 시간을 체크하고는 가속 페달을 밟는다.

윤주는 미친놈, 그지같은 놈,을 연달아 내뱉으며 싸늘하게 경수를 바라본다.

"정말이야?"

"개아들같은 놈"

윤주가 임신했다는 말에 경수는 어안이 벙벙하다... 속된 말로 '원샷원킬'이었다.

"미안해..근데, 너 왜 그랬어? 왜 내..거기 만졌어? 하자는 거 아니었어?"

"미친놈..니가 자꾸 들이댔잖아 자는데"

"내가?"

경수는 아예 기억이 없다. 그런데 윤주 말을 들어보니 자기가 계속 자신의 발기된 남성을 윤주의 등이며 엉덩이에 문질러댔다는 것이다.

"그럼 어뜩하지? 아기 지우냐?"

"다신 너 안 봐"하고 윤주는 까페를 뛰쳐나간다.

결혼 피로연에서 하객들은 이미 **빵빵**하게 불러온 윤주의 배를 보며 덕담인지 농인지를 한마디씩 해댄다. 윤주는 얼글이 화끈거려 그때마다 경수에게 등짝 스매싱을 날리고 꼬집고 난리다..

"나 , 애 낳고는 이혼할거다"

둘이 애를 만든 그 동해로 신혼여행을 가는 동안 윤주는 계속 같은 말만 되풀이한다. 경수는 쿡 웃음이 나온다.

"너 처음이었지 그날? 웃겨 중말. 나이 서른 넘어서는..."하고는 배를 잡고 깔깔댄다.

"죽을래?"

둘을 태운 차 앞으로 저만치 햇살을 받아 반짝이는 동해가 시야에 들어온다.

<눈오는 날의 선물>

온라인서점 a의 문자를 보고 경애는 적잖이 당황을 한다. 같은 문자를 동혁에게도 보냈을 것 같아서다. 6개월 전, 그러니까 동혁과 경애가 별 탈 없이 만나던 때 경애기 앙드레 지드의 <지상의 양식> 전자책을 동혁에게 선물로 보냈는데 그것을 동혁이 여태 다운받지 않은채 유효기간이 임박했다는 내용이었다.

얼핏 보면 근래 와서 경애가 선물한 것처럼 보일수도 있으니 그렇게 되면 동혁은 경애가 둘의 끈을 잇겠다고 애면글면하는 것으로 여길 수 있다. 아니 그럴 것이다.
둘이 지독히도 맞지 않는 서로의 차이 때문에 이별한 후에 그래도 동혁은 재결합을 위해 몇번 문자니 전화를 해왔다. 하지만 헤어짐이 처음이 아니었고 다시 만나봐야 이미 생채기로 가득한 둘의 관계가 수습되지도 않을 걸 알기에 경애는 싸늘하게 거절하였다.

그러고 있는데 온라인서점 a는 눈치도 없이 6개월 전 일을 갖고 사달을 낸 것이다. 그렇다고 동혁에게 지금 시점의 일이 아니라고 하기도 뭐하고 해서 경애는 애써 무시하고 잊으려 하였다.
하지만 그럴수록 동혁이 실은 괜찮은 남자라는 생각이 든다. 그만하면 결혼해도 좋았을 사람임이 새삼 느껴진다. 처음부터 동혁은 진지했다. '나 결혼까지 생각하고 너 만나는 거야'라고 그는 못을 박았다. 그래선지 그는 어린애들 식의 '연애놀음'은 좋아하지 않았다. 식사를 해도 돈이 좀 들어도 격식이 있는 곳에 가서 먹으려 했고 어쩌다 친구 결혼식에라도 동반할라치면 자신은 물론 경애의 옷차림이며 들고 갈 가방까지 조목조목 참견을 하였다.

처음엔 그런 동혁의 성격이 진중하고 꼼꼼하게 여겨지고 자신을 가지고 놀다 버릴 여자로 생각하지 않는다는 점에서 마음이 든든했지만 시간이 갈수록 경애는 답답함을 느꼈고 그와의 관계가 어쩌면 수평이 아닌 수직적일 수도 있다는 생각에 거부감이 생기기 시작하였다. 그리고는 이런 순간들이 축적돼 갈등을 일으키고 서로를 비난하고 마침내 모진 말을 쏟아내고는 돌아서게 하였다.
그래도 모른다, 그에게 연락이 올지도 모른다, 생각하니 경애는 가슴이 뛰었다.

동혁은 대학 선배와 함께 작은 여행사를 운영하고 있다. 한때 코로나로 직격탄을 맞아 거의 폐업의 위기까지 갔지만 요즘은 조금씩이나마 회복세를 보이고 있다고 좋아하는 눈치였다.

"자긴 대학때 뭐가 제일 좋았어?"

언젠가 이런 질문을 그에게 한 적이 있다.

"웃통벗고 친구들이랑 학교운동장에서 농구하던 거"라며 그가 헤벌쭉 웃었다.

여간해서는 경계를 풀지 않는 그여서 경애는 그런 말을 하는 그가 신기하기까지 했고 늘 단정한 차림의 그가 윗옷을 벗고 농구에 빠져있는 모습이 상상이 가지 않았다.

"앙드레 지드 <지상의 양식>읽어봤어?"

경애의 질문에 <좁은문>은 읽었는데...라며 동혁은 말끝을 흐렸다. 해서 그 자리에서 경애는 온라인서점 a에 들어가 <지상의 양식>전자책을 동혁에게 선물하였다.

알람이 동혁에게도 가자, 뭐야? 하고는 신기하다는 듯이 문자를 쳐다보았다.

"나 한번도 이북 다운 받아보지 않았는데"

"어렵지 않아. 해봐. 꼭이다?"

둘은 그렇게 약속했건만 동혁은 회사 일로 바쁘다, 해외 출장이 잡혀있다 등등의 핑계를 대며 경애가 선물한 그 책을 다운받지 않았다. 그러다 둘은 모종의 사건으로 또다시 헤어지게 되었다...

지금이라도 문자를 보내 서점이 보낸 문자는 무시하라고 할까

하려는데 띠링 문자 알람이 온다. 혹시나 하는 심정으로 문자를 확인한 경애는 '박동혁님이 조경애님의 선물 <지상의 양식>을 다운로드 하였습니다'라는 내용을 확인한다. 경애는 어리둥절하고 조마조마하다. 우리는 이어지는 걸까...

솔직히 그와 헤어진 뒤 그녀의 삶은 엉망으로 흘러갔다. 여러번 교정을 봤음에도 출간된 책은 오탈자 투성이었고 그 일로 편집장에게 싫은 소리를 여러번 들어야했다. 게다가 회사가 규모를 줄이면서 어쩌면 실업자가 될 수도 있는 상황이어서 알음알음으로 다른 자리를 알아보고 있는 터였다.

동혁이 <지상의 양식>을 다운받았다는 a서점의 문자를 여러번 되풀이 해 읽으면서 그녀는 동혁과 관련된 오만가지 상상에 빠진다.
그러고 있는데 동혁으로부터 전화가 왔다.

" 나 결혼한다. 다음달에...<지상의 양식>은 니가 보낸 결혼선물이라고 칠게"라며 동혁은 예의 다정하고 온화하면서 진중한 어조로 조심스레 말을 한다.
순간 경애의 얼굴이 화끈 달아오른다. 그러더니 주책맞게 눈물까지 주르륵 흘러내린다.

"축하해...빠르네 나랑 헤어진 지 얼마나 됐다구..."

"선봤다. 너한테 또 대시하면 폐가 될거 같아서..."

둘 사이에는 긴 침묵이 이어지다 누가 먼저인지 기억도 안나게 전화는 끊어진다.

바깥엔 또다시 눈이 내리기 시작한다.

<일곱번째 남자>

진서는 벌써 일곱번째 수정을 하고 있다. 초고를 보고는 환하게
웃어서 이번엔 한두번 수정하고는 촬영에 들어가나보다 했는데
벌써 일곱번째다...자꾸 수정을 요구하는 민우가 얄밉고 pd가 그
렇게 대단한 권력인가,라는 생각도 들었다.
하지만 pd가 요구하는데 안 할 도리가 없어 진서는 자기가 보기
에는 더 이상 바꿀 필요도 없는 원고를 또다시 들여다보며 소소
한 대사 정도를 다시 쓰고 있다.

그러다보니 새벽이 다 되었다.
문득 그런 생각이 든다. 민우가 죽어버렸으면 하는...
작가가 , 수정 몇번 시킨다는 이유로 연출자의 죽음을 바란다는
게 어불성설이긴 하지만 왜 이번만은 그리도 까탈을 부리는지
모르겠다는 생각이 든다.
들리는 말로는 이번 작품의 결과 여부에 따라 시리즈물로 옮겨
갈 수도 있다고 한다. 그래서일까...

민우와 진서가 처음 만난 건 진서가 '바위에 계란 던지기'식으로 드라마국에 데모 원고를 투고한게 계기가 되었다. 그때 드라마국 cp가 그 원고를 잘 봐서 둘을 매치시켜주었고 그렇게 둘은 만났다.

"단막극 우습게 보지 말아요. 이거 하다 마는 작가 지망생들이 80%가 넘어요"라며 민우는 거드름을 피웠다.

진서는 이미 오랫동안 습작을 해왔고 드라마 공모에서 미끄러진 경험이 여러번 있어 이번에 안되면 포기하겠다는 심정이었다.그래서 될대로 되라 식이었고 안되면 다시 아이들 과외를 하면서 살아가면 된다는 계산이 있어 민우가 요구한 이야기를 담담히 써나갔다.

그런데 며칠 후 민우의 전화를 받고 다시 찾은 드라마국엔 자신의 원고가 이미 인쇄돼서 책상마다 놓여있는 게 눈에 띄었다. 이렇게 얼결에 '등단'이란 걸 하고 2년이 흘렀다. 그동안 몇번의 미니 시리즈니 연속극 제안이 들어왔지만 결과는 늘 안 좋았다. 담당 pd들은 이미 자기들이 생각하는 작가들이 있으면서도 윗선의 추천으로 마지못해 진서를 만난 경우가 대부분이었다. 심지어는 '요즘 쓸만한 작가 누구 없나요'라는 질문까지 서슴없이 해대는 작자도 있었다.

일곱번째 수정을 마치고 진서는 원고를 송고한다. 그리고는 엘튼존의 '다니엘'을 연속 재생으로 틀어놓고 큰댓자로 침대에 드러눕는다.

민우에게서는 더 이상 연락이 없다. ok가 난 걸까...아니면 이번에도 마음에 들지 않아 아예 포기하고 다른 작가를 찾는 걸까... 그러다 그녀는 스르르 잠이 든다.

꿈에서 민우는 진서와 널따란 설원에서 토닥토닥 장난을 친다. 그는 환한 미소를 내보이며 눈빛은 밝기만 하다. 마치 이 세상 사람이 아닌 것 같다. 아니고서야 저렇게 맑고 투명할 수가 없다.

그러다 진서는 화들짝 잠을 깼고 그 꿈이 아무래도 불길하기만 하였다. 수정을 여러번 시켜서 그렇지 처음 자기와 호흡을 맞췄던 어떻게 보면 '첫사랑'같은 pd가 아닌가 민우는..

그러자, 자기를 고생시킨다고 '그가 죽었으면'하고 바랐던 자신이 너무도 못됐다.

그때 전화벨이 요란하게 울린다.

조연출 현욱의 전화다.

"저 감독님이..."

순간 진서의 머릿속에 교통사고가 나서 차가 전복된 채 그안에서 절명한 민우의 모습이 스쳐간다. 너무나 또렷하게 , 예견된 죽음처럼..

"어딘가요 , 어느 병원인가요?"

그 물음에 현욱은 뜸을 들이더니

"감독님이 지금 방송국으로 오시랍니다. 캐스팅좀 같이 하자고"

그 말에 진서는 자기도 모르게 신에게 감사의 기도를 드렸다.

진서는 초보운전임에도 과감하게 가속 페달을 밟았다.

민우가 보고싶다. 조금 있으면 만나게 될 그인데도 너무나 그립다...

<그해 겨울의 연애>

현우는 승희가 한참 어려울때 도와준 친구였고 '니 마음이 다 오지 않아도 돼 .그냥 천천히 나한테로 향해만 줘'라며 청혼을 하였다.

현우와는 대학시절 교내미팅으로 만났고 허구한 날 수업을 빼먹고 농구에 매달려 있는 그를 찾아가 잔소리를 해대다 보니 어느새 이게 '썸'인가 싶은 상태가 되었다.

하지만 서로 손 한번 스친적 없이 졸업을 하였고 이후 한참의 시간이 흘렀다. 그러던 어느날 승희의 sns로 디엠이 날아왔고 그렇게 둘은 세월을 건너뛰어 학교 근처 까페에서 다시 만나게 되었다.

현우는 대학시절이나 다름없는 장난기 가득한 얼굴에 돗수 높은 뿔테 안경을 끼고 있었다.
"야, 너 아줌마 다 됐다"라는 그의 말에 승희는 눈을 흘겼지만 이내 둘은 대학 시절 서로 토닥이던 시절로 돌아갔다. 비록 '썸'

에 지나지 않았지만 서로 알고 지낸 그 길다면 긴 시간속으로.

"넌 결혼 안해?"
누구랄 것없이 거의 동시에 서로에게 물었다.

현우는 중학교 여교사와 거의 결혼까지 갔는데 그쪽 집안에서 30평짜리 아파트를 해내라고 노골적으로 요구하면서 깨졌다고 했다. 선생이 벼슬이냐? 라며 끌끌 혀를 차는데 그의 뿔테 안경이 살짝 흘려 내린다. 그것을 승희가 다시 치켜 올려주며 "잘좀 하지 그랬어'라고 하자 "넌 누구 없어?"라고 현우가 눈을 끔벅인다.

당시 승희는 잠시 일한 방송 스크립터 시절 알게 된 조연출 k와 짧고도 강렬한 연애가 끝나가고 있던터라 살짝 미소만 흘리는 것으로 대답을 대신 했다.
그러던 k가 어느날 새벽 전화를 해서는 난데없이 이별을 통보했다. 얼떨떨해하는 승희에게 "우린 안 맞아"라고 짤막하게 말하고 그는 다음날 신인 여배우 m과의 열애설을 터뜨렸다. 그동안 그가 양다리였다는 걸 아는 순간 승희는 방송계 자체에 환멸을 느껴 스크립터를 그만두고 아르바이트를 전전했다.

몇번 제법 규모가 있는 회사들에 면접을 보기도 하였지만 20대 후반에 내세울만한 사회 경력이 없다는 이유로 번번이 거절당하였다.

그러다 동네 보습 학원 영어 강사 자리를 간신히 얻어 입에 풀칠을 하고 있을 때 현우는 힘이 돼 주었다. 학교 때는 놀기만 하였는데 무슨 재주가 있었는지 대기업에 입사해 승승장구 하고 있었다. 승희의 밀린 월세를 몇 번 내주기도 하였고 저녁을 산다며 학원으로 찾아와 수업이 끝날때까지 기다리기도 하였다. 승희는 용기를 내서 물었다. 자기를 좋아하냐고...

"우리 결혼할까?"라는 그의 말에 승희는 "어머 애좀 봐"라며 웃었다. 결혼...그날밤 승희는 내내 그 말을 곱씹었다. 현우와 자신이 예식을 치르고 신혼여행을 가고 한집에서 살면서 살을 섞고 아이를 낳고 산다는 게 왠지 현실적으로 와닿지를 않았다.

그렇게 애매한 상황에서 다시 조연출 k로 부터 연락이 왔다. 그것도 술이 잔뜩 취해...
k를 오랜만에 다시 만난 승희는 그 자리가 거북하기만 하였다. 여배우 m과는 헤어졌다며 그는 승희에게 다시 시작할 수 있겠냐고 의사를 타진해왔다.

그때쯤 이미 현우가 승희의 마음에 스며들 즈음이라 승희는 적잖이 당황하였고 대답을 기다리는 k를 놔두고 서둘러 까페를 나왔다. 하지만 일주일후 그녀는 k의 오피스텔 벨을 눌렀다.

하지만 다시 만난 둘은 예전으로 돌아가지 못했다. 무언가 아귀가 맞지 않았고 서로 식성마저 달라진 것 같다. 그대로인 것은 그와의 섹스뿐.

"이제 그만 헤매고 나한테 와"라며 현우가 그동안 금테로 바뀐 안경테를 만지작거리며 다시 그녀에게 청혼한다. 그러고는 둘은 주말에 함께 동해를 보고 오기로 약속한다.

중고긴 해도 현우의 차는 소형 suv 였고 제법 넉넉한 실내 공간을 갖고 있었다."편히 가"라며 현우는 승희의 보조석 시트를 뒤로 한껏 젖혀준다.

그렇게 2시간을 달려 둘은 바다에 도착했고 바다에 왔으니 당연회를 먹어야 한다며 둘은 광어회를 시켜 먹었다. 서로의 입가에 묻은 초고주장을 닦아주며 둘은 대학 시절로 돌아간 기분이었다.

"오늘 여기서 자고 갈까?"

현우는 꽤나 조심스레둘의 '첫 밤'을 제안한다.

"오늘 다시 서울로 가려면 니가 운전하기 힘들지?"라며 승희는
에둘러 동의를 한다.

그리고는 들어선 바닷가 펜션 그 방.

현우는 방에 들어서며 불을 키려는 승희를 갈급하게 품에 안았
다.

"숨막혀..."라는데도 현우는 그녀에게 강제로 입을 맞추었다.

그렇게 어색한 키스가 끝나자 현우는 또 다급하게 그녀의 옷을
벗겨냈다.

"내가 벗을게"라며 승희가 자신의 블라우스 단추를 하나씩 푸는
데 그걸 참지 못하고 현우가 블라우스를 찢어버린다. 그리고는
난폭하게 승희를 안고 침대에 몸을 던졌다.

"이러지 마...천천히.."라는데도 그는 급히 승희의 바지를 벗기고
자신의 남성을 승희 안에 밀어 넣는다. 전희가 생략된 무조건적
인 '삽입'에 승희는 비명이 터져나왔다.

잠시후, 펜션문이 열리며 승희가 뛰쳐 나왔다.

주섬주섬 옷을 꿰어입으며 그 뒤를 현우가 뒤따라 나온다.

"미안"하고 현우가 승희의 팔을 잡자 승희가 "그게 아니고" 라고

한다.

"천천히 할게 니 말대로. 미안.."하고 그가 뒤에서 승희를 안으려는데 승희가 저만치 물러서며 결심한 듯 내뱉는다. "아무것도 느껴지질 않아 너하곤..."

그러자 둘 사이에 어색한 침묵이 흐른다...

그러고 있던 승희는 지나가는 빈 택시를 불러 그대로 타고 가버린다.

현우의 갈급한 섹스가 문제가 아니었다. k와 관계할 때 느껴지던 그 자연스러움, 행복감, 그런것이 없었다 현우와는. 승희의 눈에서 눈물이 흘러내린다..

"아가씨 왜 울어요?"라며 장거린데도 미터요금으로 가주겠노라 한 택시기사가 룸미러를 힐끗거리며 물었다.

"아녜요 아무것도"라고 말하지만 승희는 그순간 k가 미치도록 보고 싶다.

<도시가 삼킨 남자>

한번도 세를 밀린적이 없는 그가 이번 달은 아무 소식이 없다.
보통 오전중에 따박따박 입금이 되었는데 하루가 지나도록 아무
소식이 없다.
우영욱, 그는 자그만 출판사에 다닌다고 했고 주인인 혜자의 요
구대로 절대 반려동물은 키우지 않겠다고 약속하였다. 담배도
피우지 않겠노라.

처음 중개업소에서 그를 보았을때 혜자는 닮아도 너무 닮았다는
느낌을 받았다. 자그만 얼굴에 커다란 이목구비, 방금 면도를 한
듯한 푸른빛 도는 턱과 입가의 희미한 팔자주름까지 기성을 너
무나 빼다 닮은 영욱을 보면서 하마터면 그 자리에 주저앉을 뻔
했다.
하지만 간신히 정신을 수습하고 그와 마주 앉았고 중개인이 임
대차계약서를 작성하면서 그의 이름이 한기성과는 거리가 멀어
도 너무 먼 우영욱이란 걸 알았고 생년월일도 기성보다 한참 아
래라는 걸 알았다. 그렇다해도 너무나 닮았다는 게 내키지를 않
아 중개인이 바쁘게 서류를 메꿔가는 동안에도 이 계약을 틀어
버릴 생각을 떨치지 못하였지만 결국은 우영욱이라는 남자에게

전용 8평의 복층 오피스텔을 세를 주었다.. 월 50씩 세를 내고 두번이상의 연체나 지연시 가차 없이 퇴거한다는 특약까지 넣었다.

그렇게 중개업소를 나서는 혜자의 발걸음은 저만치 파킹시켜 놓은 자신의 경차가 아닌 애먼 패스트푸드점으로 향했다. 그 안에 들어서고 나서야 자신이 엉뚱한 짓을 한걸 알고는 얼결에 햄버거와 제로콜라를 주문해 들고 나왔다. 그리고는 차로 가서 운전석에서 우걱우걱 먹기 시작했다

"물이랑 먹어야지"

금방이라도 옆에서 기성의 목소리가 들릴 것만 같았다. 하지만 그는 이미 혜자곁을 떠났고 둘은 서로를 보지 않은채 한참의 시간을 흘려보냈다.

"나중에 니 돈 내가 다 갚는다. 닦달하지 마"라며 기성은 매몰차게 등을 돌렸고 결국 그의 사업자금으로 들어간 혜자의 돈은 공중으로 날아가버렸다.

그 바람에 그녀는 외곽이어도 공기좋고 교통 편했던 서울 아파트를 떠나 이곳까지 밀려왔다. 모진게 목숨이어서 기성에게 당

한 걸 생각하면 더 살아갈 이유도 명분도 핑계도 없었지만 이제 마흔도 안된 나이에 생을 마감할 용기도 없고 해서 그녀는 적게 나마 매달 수익이 보장되는 소형 오피스텔을 하나 더 얻었다. 그러고나니 수중에 현금은 돈 1000도 안되었고 그녀는 빠듯한 자금으로 온라인 의류 장사를 시작했다. 처음에는 겨우 관리비 정도를 낼 수 있던 수입이 조금씩 요령과 속도가 생겨나면서 제법 불어났고 오피스텔 수입까지 합치자 그럭저럭 살 정도는 되었다.

하지만 월세라는게 계약때 약속한 것처럼 정확히 들어오는 게 아니어서 세입자를 기한도 안돼 두번이나 교체했고 그 다음이 영욱이었다. 그전 세입자가 강아지를 키운 탓에 문지방이며 벽들, 빌트인 된 가구들이 다 흠집이 나 있었고 담배 냄새까지 진하게 배어있어 그녀는 방이 비어있는 동안 수시로 환기를 시켜야 했고 탈취제나 방향제를 들이붓다시피 했다. 해서 영욱과 계약을 할 때는 아예 특약으로 반려동물금지, 금연이란 문구를 넣은 것이다.

전화를 해보나...혜자는 발주를 넣고 곰곰 생각에 잠긴다. 1년이 다 돼가도록 한번도 세를 밀린 적이 없는 사람이어서 고작 하루

지연된 걸 가지고 전화를 하기도 좀 그랬다. 그러다 밤이 내리고 그때까지도 입금이 되지 않아 혜자는 영욱에게 전화를 걸었다. 감미로운 컬러링이 울려댄다. 그녀는 자신이 많이 긴장해 있음을 느낀다. 그러나 컬러링이 다 할 때까지 영욱은 전화를 받지 않았다. 일부러 피한다는 생각에 그녀는 오기가 나서 연거푸 전화를 걸었다.

그 다음날 아무리 오피스텔 벨을 눌러도 안에서는 아무 기척이 없다. 혜자는 혹시나 해서 가지고 온 도어락 마스터키를 이용해 문을 열었다. 그러자 컹컹 짖어대는 개소리, 그리고 거실바닥에 엎어져 있는 영욱의 모습이 눈에 들어왔다. 그리고 그옆엔 재떨이 가득 꽁초가 담겨있다. 반려동물과 흡연은 절대 안 된다고 못 박았건만 .

혜자는 자는듯한 영욱을 가만 흔들어본다. 그 순간, 그의 얇은 티셔츠를 뚫고 싸늘한 냉기가 그녀의 손에 전해진다. 설마, 하고 그의 얼굴을 들어보니 멍이라도 든 양 군데군데 퍼렇게 변해있다...

순간 혜자는 쿵, 나자빠진다.

기성이 차라리 죽었으면 하고 생각한 적이 여러번이었다. 그만큼 기성이 혜자의 삶에 낸 스크래치는 그 어떤 것으로도 치료나 치유가 불가능한 절대치의 고독과 상실, 배반과 아픔이었다.

그런 기성을 대신해 우영욱, 이 남자가 대신 죽었다 생각하니 왠지 이 주검이 부조리하다는 생각이 든다.

앰뷸런스가 저만치 멀어질 즈음, 혜자는 다음에 세를 줄때는 최소한 반려동물과 흡연 금지라는 특약은 넣지 말아야겠다는 생각을 한다. 얼마나 외로우면 개를 키우고 담배를 피우랴...

그리고는 비로소 이제 기성을 떠나보낼수 있겠다는 생각이 든다 그녀는 파킹돼있는 자신의 차에 올라타 부드럽게 페달을 밟는다 비록 중고긴 해도 한번도 잔고장을 일으킨 적 없는 자신의'애마'를 몰고 그녀는 집으로 향한다. 지나쳐가는 신도시의 불빛에 눈이 멀 지경이다...

<밤안개>

수연은 경민 앞으로 흰 봉투를 내민다. 뭐야? 그가 봉투를 가져다 열어본다. 돈뭉치가 들어있다.

"미안. 다는 못 넣었어"
수연은 커피를 마시며 말한다.
"정말, 가는거니 시집? 나는 정 안되겠니?"
"우린 안돼. 알잖아."
"연애하다 보면 이런저런 갈등 있고 싸우고 헤어졌다 다시 보고하는거지..."
"미안. 나머지는 다음에 또 줄게"라며 그녀는 커피를 남긴채 자리에서 일어난다.

신호에 걸려 경민은 차를 세운다. 그러다 자기 주머니에 쑤셔넣은 수연이 주고 간 봉투를 꺼내 금액을 확인한다. 수표와 5만원짜리가 뒤엉켜 금방 셈이 되지 않았지만 수연의 노모 장례식때 자신이 이체해준 금액에 비하면 많이 모자라는 돈이었다.

경사도 아닌 애사에 돈을 빌려주고는 빨리 달라고 할수도 없어서 경민은 자신도 힘들지만 그돈 얘기를 꺼내지 않았다 이미 헤어진 사인데도. 좀더 정확히 말하면 헤어진 뒤 모친상을 당한 수연이 기별을 해와서 고민 끝에 건너간 돈이었다. 이미 헤어진 남자에게 돈을 가져갈 정도로 상황이 나쁘다는 것만 생각하고 건네주고 설마 받으랴 싶었지만 수연은 일부나마 돌려준 것이다. 그런데 턱없이 모자란 금액이라 경민은 이게 뭘까, 싶다.

둘은 3년의 만남동안 자주 틀어지고 재회하고를 반복했다. 수연은 자신의 글이 어느 정도 인정을 받기 전까지는 결혼 따위는 하지 않겠다는 무명작가였고 과민하고 지나치게 까탈스러운 그녀의 성정을 참아낸다는 게 경민으로서는 쉽지가 않았다. 급기야, 그녀는 마지막 희망을 걸었던 공모에서 떨어지자 마치 경민의 탓인양 이별을 통보하였다. 경민도 어느정도 짐작하고 있던 터라 굳이 그녀를 잡지 않았다. 그리고는 그녀의 모친이 죽었다. 거의 무연고였던 그녀는 혼자서 장례라는 버거운 짐을 져야했고 그래서, 헤어졌지만 이해하리라 여겨지는 경민에게 돈을 요구했다.

장례를 다 치른 그녀는 "조만간 빚 갚을게"라는 짤막한 메시지를 보내왔다. 그리고는 한달후 그녀의 sns에 우연히 들어가 본 경민은 그녀에게 새 남자가 생긴걸 알게 되었다.

자신에게도 잘 보이지 않던 함박웃음을 수연은 남자를 마주 보며 짓고 있다.

헤어지긴 했지만 그래도 마음 한구석에 미련이 없을수 없어 은근 재회를 기대한 경민의 마음은 그 한 컷의 사진에 와르르 무너져내렸다. 그리고는 그날 밤, 잔뜩 술에 취해 그녀에게 전화를 걸었다.. 그러자, 한참만에 '왜?'라며 그녀가 냉랭하게 받았다.

그렇게 그녀의 집 근처에서 잠깐 본 둘 사이에는 냉랭하고 어색한 기류만 흘렀다.

"너 결혼하냐"

"어떻게..아...사진봤어?"

"누구야?"

"편집장"

그 말에 경민은 그 결혼이 다분히 계산적이라는 생각이 들어 말리고 싶었지만 경민의 말을 자르다시피 하며 "나 임신"이라는 그녀의 통보에 그는 할 말을 잃었다. 자신과 3년동안 관계를 가질 때마다 그녀는 그리도 임신을 두려워했고 그때마다 피임을 했다. 그런 그녀가 덜컥 임신이라니...그는 싸늘한 배신감을 느끼고 이제 정말 끝났다는 생각에 "잘 살아라. 그리고 남자는 다 똑같아. 내 얘기 하지 말고"라며 서둘러 까페를 나왔다.

아마도 무명의 시기가 길다보니 동앗줄이라도 잡는 심정으로 편집장이라는 그 남자를 택했으리라 . 경민은 마음에서 수연을 지우기로 결심했다. 하지만 3년의 시간이란게 그림자처럼 그를 따라다녀 그는 거의 매일 폭음과 구토를 해댔다.

그리고는 이제 좀 가라앉나 싶은 시기에 그녀가 장례비를 돌려준 것이다. 그것도 몇푼 안되는 금액을.
이걸 어떻게 해석해야 하나, 그는 곰곰 생각하다 그냥 덮고 가기로 한다. 수연의 모친을 모르는 것도 아니고, 오랫동안 중풍을 앓아온 그 어른의 마지막 길에 자신이 조금이나마 보탬이 되었으면 그걸로 족했다.

그리고 며칠 후 그는 수연이 보낸 모바일 청첩장을 받았다 하....어이가 없었다. 이런 것까지 알려줄 필요가...라며 그가 메시지를 지우려는데 수연으로부터 전화가 걸려왔다.
"저기..부탁이 좀 있어서"
"뭔데..니 청첩장은 받았는데 갈 거 같진 않다"
"그건 맘대로 해...근데...한꺼번에 나중에 갚을게 조금만 더 빌려주라"

그 말에 경민의 입이 자동으로 벌어진다.

"뭐라고? 돈을 더 달라고?"

"결혼도 은근 돈이 드네..그냥 몸만 오라고 하지만 그럴 순 없잖아. 예단이며...그냥 축의금 많이 낸다 생각하고"

수연의 말이 다 끝나기도 전에 경민은 전화를 끊어버린다. 살아서 이 여자를 다신 볼 일이 없을 것이다...

그러나 계절이 바뀌어 찬바람이 불 때 쯤 그의 회사로 수연이 사전연락도 없이 불쑥 들이닥쳤다. 이혼했노라며 자기를 다시 받아달라고 했다. 그 즈음 경민은 대학 선배의 소개로 병원 레지던트과정 중인 여의사를 조심스레 만나던 중이어서 당황스럽기만 했다.

"넌 내가 뭐라고 생각하니? 니 딱가리야?"

"아이가...아이가 잘못됐어 그래서.."

"너 그럼 맘에도 없다는 남자, 임신으로 발목 잡은거야?"

"잘할게..당신한테..."

그렇게 매달리는 수연을 매몰차게 돌려보내고 경민은 오랜만에 외곽으로 차를 몬다. 예전에 수연을 태우고 자주 오던 그 강가에 차를 세운다. 그가 뜬 물수제비에 커다란 파문이 인다.

그 파문을 들여다보던 그가 결심을 굳히고 다시 차에 오른다. 운전을 하면서 그는 그 여의사에게 전화를 건다. 같이 저녁을 먹자고. 마지막이 될 저녁을 그는 근사하게 사기로 마음먹는다.

<그대의 찬손>

유경은 자신의 귀를 의심한다. 이번주 게스트로 소설가 민정재를 섭외했다는 pd의 전화기 너머의 목소리가 꿈결처럼 들린다. 유경의 입에서는 아무 말도 나오지 않는다.

그렇다고 pd에게 게스트를 바꾸자고 할 명분도 권한도 없다. pd와 작가는 엄연히 수직적 관계다. 그랬다가는 제대로 된 통보도 받지 못하고 잘릴 수가 있다.

해서 유경은 '네'라고 짧게 대답하고 정재의 전화번호를 받아적는다. 지난 7년간 정재의 번호는 바뀌지 않았다. 하긴, 이 번호로 일을 다 처리하고 인맥을 유지하던 그였으니 바꾸기가 쉽지 않았으리라...

정재는 "혹시..."하며 전화 너머에서 의심하는 눈치다.

"예?"

"아뇨...성함이...제가 아는 분이랑 목소리가 같아서요.."

"아...저, 김경압니다"

"아니구나..."

하필 60년대 영화에나 나올법한 이름이 튀어나오자 유경은 그 상황에서도 쿡 웃음이 나온다.

"사전 인터뷰 때문에 전화드렸어요"

"아...예...제가 어떤 말씀을 드리면 될지요"

"간단히 몇가지만 여쭐게요..."

하고는 유경은 미리 준비한 질문지를 들여다보며 그와 통화를 이어나간다.

무명기가 혹독하고 길었던 걸로 아는데 어떻게 버텨냈는지, 이번 '남도문학상'에서 대상을 타게 되신 소감은 어떤지, 등등...

정재는 유경이 대강 예견한 대답들을 쏟아내었다.

쓰는 행위자체가 기쁨이고 보람이었기에 딱히 무명기라고 여긴 적은 없다고, 그래서 이번 문학상도 고사할 생각이었는데 주최측의 간곡한 요청에 수락하였다, 등등...

유경은 자기 안에서 메스꺼운 무언가 스멀스멀 기어 올라옴을 느낀다.

그렇게 정재와 전화 인터뷰를 마무리하며 유경은 이렇게 덧붙인다.

"저희방송이 생방인 건 아시죠?"

"네? 녹음 아니었나요?"

"네...수요일은 생방이예요"

"아...떨리네요"

"그냥 알아두시라고요. 지금 말씀하신 거 제가 좀 다듬어서 이메일로 보내드릴게요. 그렇게만 하심 됩니다"

라며 이미 알고 있는 그의 이메일주소를 물어본다.

이제 사전 인터뷰도 다 끝났고 원고도 매 꼭지마다 다 채웠으니 좀 쉬면 되리라...그렇게 원고를 마무리하고 나자 전날부터 느껴지던 몸살기가 본격적으로 온몸으로 퍼져간다. 긴장이 풀린 탓이리라....유경은 전날 처방받은 약을 입에 털어넣는다. 그러자 잠시 후 온몸에 나른함이 퍼져나가고 그것은 잠으로 이어진다.

꿈에서 유경은 정재와 어느 바닷가를 걷고 있다. 겨울바람이 싸늘해서 유경은 패딩 속으로 얼굴을 묻는다. 그러자 정재가 유경의 패딩 지퍼를 하이넥으로 끝까지 올려준다. 그리고는 서로의 허리를 안고 노을 내리는 겨울 바다를 입김을 내뿜으며 천천히 걸어간다. 그러다 정재가 유경의 한 손을 살며시 잡아온다."어? 손이 왜 이렇게 차?"라며 그는 유경의 쥔 손을 자기 주머니에 넣고 녹여준다.

처음 문화센터 강의가 끝나고 여럿이 빙 둘러 앉은 자리에서 정재는 뚫어져라 유경만 바라보았다. 소설가가 되는게 꿈이었던 20대 후반의 유경은 자기가 흠모하던 소설가가 직접 강의를 한다는 사실만으로도 가슴이 뛰었고 잠을 다 뒤척였다. 그런 그가 자신에게 신호를 보내고 있다는 사실이 믿기지를 않았다. 사람을 뚫어버릴 것 같은 날카로운 시선에 그녀는 가슴을 베이고 말았다.그렇게 둘의 연애는 시작되었다.

이제 정재의 코너가 다 돼 간다. 지금쯤 복도에 와 있으리라는 생각에 유경은 가슴이 울렁거리고 점심에 먹은게 올라오는 것만 같다. 정재를 이런 데서 이런식으로 마주칠 줄이야...
pd가 눈짓으로 나가서 정재를 데려 오라고 한다. 유경은 뻣뻣하게 굳은 몸으로 부스 문을 열고 나간다.

정재는 긴장을 많이 했는지 두 손을 비비며 라디오 부스 복도를 서성이고 있다.

"민작가님"

그 소리에 정재는 천천히 고개를 돌린다. 슬로우모션이라도 걸린 것처럼...

그리고 7년만에 정재와 유경은 낯선 방송국 복도에서 이렇게 마주한다. 너...정재의 벌어진 입이 다물어지질 않는다. 둘은 한참을 그렇게 서로를 바라본다, 아니 쏘아보다 유경이 먼저 다가간다.

"들어가세요.. 다들 기다리고 계세요. 저랑 하신 것처럼만 말씀하심 돼요"

"어떻게....분명 너였어. 목소리가 너였는데...뭐? 김경아? 어이가 없어..."

"늦었어요 작가님" 하고 유경은 정재의 비난 따위는 안중에 없다는 듯이 다시 부스 문을 열고 안으로 들어간다. 그러자 뜸을 들인뒤 정재도 들어선다. 무언가 결심한 눈치다...

생방을 하는 수요일은 mc를 보는 베테르·ㅇ 아나운서인 재희도 적잖이 긴장을 한다. 그래선지 그녀는 음악이 나가는 동안 계속 입을 풀고 스트레칭을 하면서 긴장을 푼다.

간단한 서로간의 인사가 끝나고 짧게 음악이 들어 간 동안 재희와 정재는 소곤소곤 무언가를 이야기한다. 그러자 재희의 얼굴이 파랗게 질려온다. 재희가 볼륨을 죽여놔서 둘의 이야기 내용은 바깥 유경에게까지 전해지질 않는다. pd 옆에서 컴퓨터를 조작하던 유경은 정재가 도대체 어떤 얘기를 해서 재회가 저렇게 경악을 하는지가 궁금하다...설마 자기들의 이야기를 한 건 아닐 테고...

정재는 사전 인터뷰 때 한 말 따위는 개나 줘버렸는지 자기 기분대로 이야기를 쏟아낸다. pd는 언짢은 표정을 짓지만 생방이라 잘라낼 수도 없다.

어떤 식으로든 정재와 다시 만난다면 돈보다도 '사과'를 꼭 받아내겠노라 다짐해 온 유경이었다. 그의 뒷바라지를 하느라 유경의 모친이 남긴 단하나의 유산, 즉 18평 아파트를 저당까지 잡혀야 했던 건 정재의 암묵적 협박과 압력 때문이었다. 지금 돌아보면 전형적인 '애정사기'였음에도 그렇게 단정을 내리기까지 유경은 한참을 기다려야 했다. 유경에게 가장 큰 협박은, 정재가 며칠씩 연락을 끊어버리는 것이었다. 자신이 원하는 것이 주어지지 않으면 그런 식으로 그는 그녀에게 압력을 행사했다. 그와 헤어지는 건 그녀에겐 사형선고나 다름없었다.

유경의 수중에 더이상 돈이 없다는 걸 알게 된 정재는 정해진 수순대로 그녀를 버리고 '갈아티기'를 했고 상대는 유력 문학지의 편집장이었고 곧이어 둘의 동거 소식이 들려왔다. 하지만 유경은 실연의 상처와 굴욕을 씻어낼 틈도 없이 집이 경매로 넘어가자 망연자실했고 자신에게 돌아온 쥐꼬리만한 돈으로 어떻게든 연명을 해야 했다. 그리고는 이따금 정재에게 연락해서 가져간 돈의 일부라도 돌려달라고 애원하였지만 정재는 '나중에 다 갚는다'라는 말만 되풀이했다. 그렇게 친척집과 친구집을 전전하던 유경은 안해 본 일 없이 다했고 그러다 방송국에 다니는 한 대학 선배의 귀띔으로, 이곳 지방 방송국에 라디오 작가 자리가 난 걸 알고 데모원고를 써서 그 선배가 알려준 pd의 이메일로 투고해서 힘겹게 일을 잡았다. 그리고는 방송국 가까운 곳에 보증금 300에 월 30짜리 월세를 얻던날 그녀는 뜨거운 눈물을 마구마구 쏟아내었다.

정재의 코너가 다 끝나고 유리 너머로 환하게 웃으며 서로 악수를 나누는 아나운서 재희와 정재의 모습이 눈에 들어온다. 정재는 스튜디오를 나오자마자 pd에게 인사를 하고 유경은 투명인간 취급을 하며 부스를 나가버린다. 따라가야 한다...가서, 한마디, 잘못했다, 미안했다,는 사과의 말이라도 들어야 한다는 마음에 유경은 다급히 부스문을 열고 뛰어나간다.

복도에 나서자 정재는 이미 엘리베이터에 오르고 있다. 유경은 다급히 기계 안으로 뛰어든다.

"뭐, 나한테 할 말 있나 작가님? 김 경 아 작가님?하고 그가 배시시 웃는다.

"나한테 사과해" 유경이 바들바들 떨며 간신히 입을 뗀다.

"지금 그렇게 한가한 얘길 할 때가 아닐텐데?"하고 정재는 닫히는 엘리베이터 문을 다시 연다. 내리라는 신호다.

"사과해!"하고 소리치는데 유경의 두 눈에서 뜨거운 눈물이 흘러내린다. 그러자 정재는 가만히 유경의 한손을 쥔다. 7년 전처럼. 그동안 변한 건 없는 것처럼...

"무슨 짓이야!" 하며 유경이 그 손을 뿌리친다. 그러자,

"여전히 손이 차네"

유경이 스튜디오로 돌아오자 아나운서 재희가 pd와 이야기를 나누다 중단한다.

"저기..정작가, 그동안 수고 많이 했어요" pd가 힘겹게 말문을 연다.

"네"

뭔가 불길한것이 유경을 스치고 간다.

"작가교체를 좀 해야 할 거 같아"

"왜요? 제가 무슨 잘못이라도?"

그러자 재희가 싸늘한 눈을 하고 그녀 앞으로 바투 다가온다.

"그렇게 안 봤는데 민정재 작가 스토커였다며? 지난 7년간 그거 때문에 민작가 정신과 치료에 ,다됐던 결혼까지 무산됐다던데"

"..."

유경이 전해들은 바로는 동거에 들어갔던 문학지 편집장이 실은 남편과 별거 중인 유부녀였다는 것이고 결국은 남편에게로 돌아갔다고 했다. 이후에도 정재는 계속 '갈아타기'를 하며 승승장구 한걸로 알고 있다...

"아녜요. 그게 아니고..."

그러나 재희도 pd도 더이상 유경의 말은 믿지를 않는다. 세상은 절대 약자의 소리를 들어주지 않는다.

"정리좀 부탁해요. 급여는 다음 주에 정산해서 넣어줄게요"라며 pd가 서둘러 부스를 나간다. 그 뒤를 이어 재희도 나가버리자 텅빈 부스에 유경 혼자 붙박이처럼 남아버린다.

<오후의 연가>

민혁은 바이어와의 미팅을 마치고 곧바로 예은과의 약속장소인 회사 근처 까페로 향한다. 민혁이 들어서자 예은은 늘 앉는 구석 자리에서 폰을 들여다보고 있다.

"미안. 미팅이 좀 길어졌어"하며 민혁은 예은의 망고 쥬스를 한 모금 마신다.
"뭐야. 따로 시켜" 하며 예은이 싫어하는 내색을 한다.
"화났어? 미안" 하고 민혁은 넥타이를 헐겁게 하는데,
"할 얘기가 있어"라며 예은이 자세를 고쳐 앉는다.
"뭐 이렇게 심각해? 나 뭐좀 시키고.."하고 그가 까페 주인을 부르려 하는데 예은이 "저기.."하며 그의 행동을 제지한다.
그렇게 둘은 서로를 뚫어지게 본다.
"...잘했지 드레스 가봉은?"
"민혁씨, 우리 헤어져"
그 말에 민혁은 자신의 귀를 의심한다. 결혼을 코앞에 둔 예비 신부가 지금 헤어지자는 통보를 하고 있다는 게 믿기지 않는다. 왜? 하고 음이 소거된 채로 민혁은 묻는다.

민혁은 고교 동창 수철의 결혼식에 갔다가 신부 측 하객으로 참석한 예은을 만났고 같은 테이블에서 식사를 하며 민혁은 용기를 내서 예은의 연락처를 물었다. 그리고는 보름후 그날 밤 민혁은 예은을 품에 안았다. 예은은 그때도 '할 얘기가 있다'고 했지만 민혁은 과거 따위는 묻어두자며 그녀의 입을 막았다.
이후 둘은 본격적인 연애를 했고 상견례를 마치고 그 어떤 반대도 받지 않고 무난히 결혼 문턱까지 왔다.

"다시 말해봐. 헤어지자구? 농담이지? 너 화난거지? 요즘 내가 못 챙겨줘서...미안, 바빠서 그랬다니까"
"그 사람이 돌아왔어..."

그사람....예은의 그 사람이란 독립영화를 주로 만든다는 k를 말함일 것이다. 민혁이 과거따위는 묻어두자고 해도 어느 날 예은은 기습적으로 k의 이야기를 꺼냈다. 지금 예은은 아동교재를 주로 만드는 출판사에 근무하지만 그 전에 잠깐 라디오 작가를 한 적이 있고 그때 게스트로 출연한 k와 사귄 적이 있다고 했다 둘은 결혼까지 생각했지만 k의 상업영화로의 진출이 계속 딜레이되면서 그는 꺼떡하면 짜증을 부리기 시작했고 성격파탄자처럼 변덕을 부리더니 어느날 헤어지자는 통보를 해왔다고 했다. 그런 일이 처음이 아니어서 예은은 어떻게든 그를 설득하려고 했지만 결국엔 안됐다고 민혁에게 털어놓았다. 하지만 그를 잊을 수가 없다고.....이 상태로 당신한테 가도 돼?라며 예은은 눈물을 그렁이며 묻기까지 하였다.

이후로 민혁은 이따금 k이 이름을 포털에서 검색하는 습관이 생겼고 그가 동유럽 영화제에서 '젊은 작가상'을 받았다는 소식을 접했다. 비록 독립영화로 받긴 하였지만 그래도 해외에서 상까지 탔으니 무명에서는 벗어난 셈이고 그걸 빌미로 다시 예은에게 연락해 올 수도 있다는 불안감에 휩싸였다. 하지만 예은은 이후로도 아무 말이 없었고 언제나처럼 당연하단듯이 민혁의 품에 안겼다. 그러던 그녀가...

"너무 늦었다는 생각 안드니? 우리 결혼 코 앞인데."
라며 민혁이 테이블의 냅킨을 집어 이마의 땀을 닦아낸다.
"이 상태로는 당신한테 갈 수가 없어. 가더라도 내 마음이 확실해 진 다음..."
"장난해!"
그 소리에 다른 손님들이 이쪽을 쳐다본다.
예은은 입을 앙 다물고 그 어떤 얘기도 하지 않겠다는 뜻을 비친다.
"나중에...나중에 얘기해"하고 민혁은 어떻게든 이 자리를 벗어나야겠다는 생각뿐이어서 서둘러 까페를 나선다.

k가 앞에 있다면 이미 민혁의 주먹이 날아가도 몇번은 날아 갔으리라...민혁은 마치 낮술이라도 한 사람처럼 회사로 저벅저벅 돌아간다.

그가 자리에 앉는데 마침 메일이 온다. 이탈리아 거래처에서 온 업무 메일이다. 민혁은 기계적으로 이메일을 열어 본다. 담당자 소피아의 영어 메일이다. 하지만 읽히질 않는다. 그녀는 뭐라고 빼곡히 적어 보냈지만 그날따라 그녀의 영어문장이 낯설기만 하다. 앞뒤 문맥이 맞질 않고 무슨 얘긴지 이해가 안된다. 아무래도 조금전 예은으로부터 받은 결별 통보 때문이라는 생각에 그는 잠시 컴퓨터에서 떨어져 앉는다. 그리고는 빙그르 의자를 돌린다. 그러자 서울 대낮의 풍경이 파노라마처럼 펼쳐진다....
그렇게 한참을 넋놓고 바라보던 그는 소피아의 이메일을 출력해서 한손에 들고 커피를 뽑아 옥상으로 향한다.

일이 안풀리거나 구조조정 바람이 불 때면 동료돌과 자주 올라와서 이야기를 나누며 머리를 식히는 그만의, 아니, 어쩌면 거의 모든 샐러리맨들의 아지트인 옥상에 이르자 그는 여지껏 급체라도 한 양 답답했던 가슴이 뻥 뚫리는 느낌이다...

훈풍이 불어온다. 그의 느슨해진 넥타이가 그 바람에 살랑인다. 예은이 백화점에서 직접 골라준 넥타이다. 그는 그 넥타이를 한참을 어루만진다....

그리고는 저만치 난간에 기대어 소피아의 이메일을 다시 읽는다. 다시 읽어보니 소피아 역시 무언가 다급한 일에 쫓기며 작성한 메일같다. 간간이 틀린 철자며 모호한 문장들이 눈에 띈다. 하지만 전체 맥락은 감지된다. 민혁은 커피를 홀짝이며 그 메일에 대한 답을 머릿속에 그려본다...

전에도 예은은 헤어지자고 했었다. 하지만 하루가 채 되지 않아 민혁에게 전화를 걸어왔다. 이번도 크게 다르지 않으리라 . 오늘 저녁엔 그녀가 좋아하는 이탈리안 레스토랑에 가야겠다는 생각을 한다. 그러면서 사무실로 돌아가기 위해 펜스에서 몸을 뗀다. 그 순간 그가 들고 있던 소피아의 메일이 바람에 날아간다. 그가 공중에 떠버린 종이를 잡기 위해 손을 뻗는 순간 그의 몸이 펜스를 넘고 만다.

하늘에서 종이 한 장이 나풀나풀 원을 그리며 내려오고 그보다 앞서 한 남자가 건물에서 곤두박질 친다. 남자는 둔탁한 소리를 내며 도심 한 가운데에 떨어진다. 남자의 온몸에서 폭포처럼 피가 뿜어져나 온다.

<눈오는 밤의 이별>

난주는 눈이 내리는 창밖을 보고 있다. 현수가 현규대신 들어설 때 까페 안은 거의 비다시피했다. 난주는 곧바로 현수를 알아보고 생긋 미소를 지어보인다.

현수는 자기도 모르게 꾸벅 인사를 한다.
"형은 많이 바쁘대?"
그녀는 자기 앞에 놓인 뜨거운 찻잔을 만지작거리며 묻는다. 아니, 묻기 보다는 그리 짐작하는 눈치다.
"네..새 프로젝트 들어갔다고.."
하고 현수는 팬히 멋적어서 자기 머릴 벅벅 긁는다.
"너도 레몬차 할래?"
난주는 그러면서 자신의 레몬차를 마신다.

잠시후 현수의 레몬차가 세팅된다.
"요즘 왜 안와요 집에?"
그 말에 난주는 희미하게 웃는다. 아니, 웃는지 서글픈지 모를 애매한 표정을 짓는다.
"알잖아 왠지..."라면서도 그녀는 자기 왼손 약지의 커플링을 만지작거린다.

그때 난주의 전화가 울린다. 액정을 보는 그녀의 눈이 반짝이는
걸 현수는 놓치지 않는다.
"형...이예요?"
"응..."하며 상기된 난주는 일어나며 전화를 받는다. 그리고는 구
석으로 가서 혹시나
자신들의 통화가 들리기라도 할까 조심스러워 하는 눈치다...

현수는 자신의 레몬차를 맛본다. 달달한 보통의 그맛이다. 그는
가급적 천천히 마시려 한다. 빨리 마시면 난주는 나가자고 재촉
을 할 거같다.
통화를 끝낸 난주가 돌아와 앉는다.
"형 온대요?"
난주의 낯빛이 어둡다.

2년전, 해외출장에서 돌아오던 비행기 안에서 형 현규가 만났다
는 이 여자...형은 저돌적으로 난주에게 접근했고 급기야 두 집
안 상견례까지 마쳤다. 하지만 약혼 무렵 형은 갈등했다. 예전 '
그녀'의 귀국으로 형 현규는 혼란에 빠졌다. 하지만 약혼은 치러
졌고 이제 난주는 현수의 어엿한 예비 형수가 되었다. 그런데

현규는 '그녀'를 다시 만나는 눈치다. 남자의 변심에 무감하지 못한 난주는 애면글면하면서도 현규가 자연스레 자신에게 돌아오길 기다리는 눈치다...

"너 요즘 영어공부 해? "
생뚱맞게 난주는 현규의 영어 실력을 들먹인다. 형의 권유이자 강권으로 난주에게 잠시 영어과외를 받은 적이 있는 현수는 난주의 그런 질문이 탐탁지가 않다.
"나 군대 가요. 영장나왔어.."라며 현수는 이젠 무슨 맛인지도 모를 레몬차를 한번에 마셔버린다.
"벌써? "라며 난주는 현수를 빤히 바라본다.
"왜 그렇게 봐요?"
"우리 현수가..."
"그렇게 말하지 말아요. 우리 현수...꼭 어린애 부르듯이"
뾰루퉁해하는 현수가 재밌다는 듯이 난주가 피식 웃는다.
"너 많이 컸다"
"..."

현수는 창 밖으로 시선을 돌린다. 눈 내리는 거리에 어둠도 함께 내리고 있다. 오묘한 광경이다.

"우리...나가서 맥주 할래요?"

"나, 일하다 나왔어"

언제나 자신에게는 곁을 주지 않는 난주다. 일하다 나오긴...형을 만나러 나왔으면서...

난주는 사무실이 들어있는 5층짜리 건물로 들어가다 힐끔 돌아본다.

현수는 어서 들어가라는 손짓을 한다. 그러자 난주는 손을 살짝 흔들고는 건물 안으로 들어간다. 현관 센서등이 반짝한다. 그 불빛이 꺼질 때 쯤 현수는 옷깃을 여미고 돌아선다.

어디로 가나....

<해빙기의 연인들>

혹한이 자주 올 거라는 기상청의 올 겨울 예보는 보기좋게 어긋
났다. 딱 한번 연말에 영하 10도를 찍긴 했지만 이틀 뒤에는 훌
쩍 기온이 올라 영상권에 진입하면서 그 상태로 겨울은 끝나가
고 있다.

그날도 이렇게 따스한 봄같은 겨울이었다. 미경이 방금 먹은 점
심을 설거지 통에 넣고 돌아서는데 컬러링이 울렸다. 단 한 사
람을 위해 설정한 컬러링이기에 그녀는 온몸이 굳어버렸다. 혁
기였다.

지난 봄 헤어졌으니 거의 1년만이다. 둘 다 그리 강한 성격이
아니어서 그런 부분에서는 부딪칠일이 없었고 설혹 갈등이 생기
면 누구랄 것없이 한쪽이 먼저 양보하면서 절충과 타협을 이끌
어내며 무탈하게 지내왔다. 하지만 지난봄 그 일은 지우지 못할
상처를 남기고 결국 둘을 갈라세웠다.

지리산 취재를 의뢰받은 혁기가 프리랜서 사진작가 s와　같이

가게 된 게 사달이 난 것이다. 안그래도 s의 이야기는 출판계에 널리 퍼져있어 미경은 그 동행을 취소하든가 다른 사진작가를 데리고 가라고 하였지만 그러면서도 이미 윗선에서 짝지어준 것이어서 프리랜서 기고가인 혁기가 이래라 저래라 할 수 없다는 것쯤은 알고 있기에 혁기에게 다짐을 받는 선에서 그쳐야했다. 혁기는 '너 두고 딴짓 안 한다'라고 다짐을 하였지만. 그역시 s와 동반취재를 갔던 무수한 남자들이 당한것처럼 결국에는 s의 유혹에 굴복해 몸을 섞고 말았다.

혁기는 술이 취해 자기도 모르게 한 짓이라고 싹싹 빌었지만 미경은 둘이 함께 해온 3년의 시간이 물거품이 되는걸 인정해야 했고 도저히 용서가 되지 않아 결국 헤어지자고 하였다. 그렇게 갈라서고 1년여가 흘렀다. 그래도 미련이 남아 한번은 혁기의 블로그와 sns에 들어가 보려 하였지만 이미 비공개처리 돼서 아무것도 볼수가 없었다.

시간 앞에 장사가 없다고 그렇게 서로가 서로에게서 점점 멀어지고 작아지고 요동치던 실연의 고통도 많이 사그라들어 영영 이렇게 잊혀지나 보다 하고 있을때 그로부터 전화가 걸려온 것이다.

혁기는 미경의 퇴근시간에 맞춰 출판사 근처로 오겠다고 하였다
그와 헤어진 뒤 미경은 곧바로 퇴사를 하고 프리랜서 편집일을
하고 있다는 걸 알리가 없었던 것이다.
"그럼 만나서 얘기해"라고 미경은 일단 그를 보기로 마음 먹고
약속을 잡는다.

헤어질 당시보다 조금 야윈거 같지만 그래도 어디가 아프거나
안 좋아 보이지는 않는 혁기를 보면서 미경은 조금 화가 난다.
자기는 몸무게가 10kg나 줄고 우울증이 와서 정신과도 다녀야
했는데... 하지만 아직 그런말을 할 정도로 둘 사이가 편해진 것
도 아니어서 그녀는 말을 아끼기로 한다.

"sns랑 다 못보게 했대?"
"아예 폐쇄할까하다가 그냥..그일, 정말 후회한다"
"다 지난 일이야."
"무슨 뜻으로 받아들임 되니?"
"나오기 전에 곰곰 생각해봤는데 너무 심하게 금이 간거 같아.
차라리 돈 문제같은 거면 모르겠는데 여자 문제는..."하면서 그
녀는 고개를 절레절레 흔든다.
"한번만 봐주면 안되겠니?"
그가 애원하듯 물어오지만 미경은 뭐라고 대답을 주지 않은채

그대로 까페를 나선다.

입춘이 지나선지 이미 오가는 행인들의 옷차림에서 봄이 물씬 묻어난다. 올여름 또 대단하겠구나 기온이...하면서 그녀는 인사동을 빠져나와 종로에서 택시를 탄다.

그날밤 미경은 혹시나 하는 마음에 혁기의 sns에 들어가 보았다 예상대로 그는 다시 공개로 돌려놓았고 둘이 낮에 만난 인사동 거리 사진을 올려놓았다. 하지만 그 어떤 코멘트도 달지 않은것에서 그의 착잡하고 복잡한 심기가 묻어났다. 물끄러미 그의 계정을 보던 미경이 용기를 내서 그 사진 밑에 댓글을 달았다.
"다음엔 대학로면 좋을거 같아"라고.

혁기는 뛰어왔는지 콧등에 땀이 배어있었다.
"천천히 오지 뭘..." 살짝 웃어보이는 미경을 보자 그가 조금 안도하는 눈치다.
"가자. 내가 밥 사줄게"
"그냥 분식 먹자. 우리 둘다 백수잖아"라며 그녀는 둘이 자주 가던 소극장 뒤의 분식집으로 먼저 길을 잡는다.

그렇게 나란히 걷던 혁기가 슬쩍 그녀의 한 손을 쥐어온다.

미경이 별다른 거부감이나 저항을 하지 않자 혁기는 잡은 손에 힘을 준다.

"나 차 한대 뽑았다. 300짜리. 그걸로 너 좋아하는 동해 가자"

그가 잔뜩 흥분이 돼서 떠들기 시작한다.

"나 다 풀린거 아냐"라며 미경이 다시 뾰루퉁해지자 이번엔 혁기가 한 팔을 그녀의 어깨에 두른다.

그렇게 둘의 갈등이 봉합된 거 같았지만 이후 사흘 동안 혁기로부터는 어떤 연락도 없어 미경은 다시 초조해진다. 혁기 자체가 하루에도 몇번씩 전화를 걸고 메시지를 보내오고 하는 타입이 아닌 건 알지만 그래도 지난번 대학로에서 점심을 같이 하고 영화까지 같이 보았으면 그걸로 지난 일은 일단락된 거라고 생각했기에 그의 무소식이 신경이 쓰일 수밖에 없다. 이런 경우 보통 남자가 적극적으로 관계개선을 해나가는 게 자연스럽다고 여겼기에 그녀는 뭔가 또 틀어지는 느낌을 받는다.

그렇게 그녀가 잠을 이루지 못하고 뒤척이는데 새벽이 다 돼서 그로부터 문자가 날아온다. 지금 병원이라고.

병원 응급실이란 말에 미경은 잠옷 위에 그대로 패딩을 걸치고 뛰어나와 택시를 불러 탔다. 그렇게 도착한 병원응급실에 그녀가 들어서는데 마침 저만치서 이쪽을 보고 있는 혁기와 눈이 마주쳤다. 혁기는 링거 꽂은 손을 가만 흔들어 보였다.

"어떻게 된거야?"라는 그녀의 말에 "내가 병이 생겼잖아. 공황장애...너랑 헤어지고 어느날 갑자기 숨이 멎는거 같고 호흡이 제대로 안되드라구. 손발도 저릿하고"라는 그의 말이 다 끝나기도 전에 미경은 그의 가슴에 자기 얼굴을 묻고 흐느긴다.

혁기의 퇴원 이후 미경은 당분간 현기의 방에서 함께 지내기로 한다. 현기는 자다가도 갑자기 소리를 지른다거나 괴로워하였고 과호흡에 시달렸다. 그럴 때면 미경은 마치 아이를 달래듯 그를 다독였고 그러면 그는 잠잠해졌다..

"이젠 나 가도 되지?"
혁기의 상태가 나아졌다 판단한 그녀가 이리 말하자 혁기가 아쉬워 한다.
그제서야 미경은 가슴에 담아온 그 말을 하기로 한다. "매일매일 자기 연락 기다렸어. 헤어지던 그날부터"라는 그말을.

이제는 혁기의 잘자라는 메시지나 전화가 없이는 잠을 잘수 없게 된 미경은 오늘 밤도 자정이 다 되도록 잠을 이루지 못한다...
그러고 있자 은근 부아가 치밀기도 하지만 5분만, 10분만 더 기다려보기로 한다. 그렇게 그녀가 작정한 시간이 끝나갈 무렵 그로부터 문자가 온다.

"갈까? 지금?" 혁기는 그 밤에 미경에게 오고 싶어한다.
잠시 생각을 추스린 그녀가 답문을 찍기 시작한다.
"내가 갈게. 우리 밤바다 보러 가자. 저번에 자기가 얘기했잖아"
라고.

"올가을엔 나랑 결혼해줄래?"라는 혁기의 말에 미경은 흡, 하고 숨이 멎는것만 같다.
그러는 사이 해는 바다를 빨갛게 물들이며 완전히 솟아 올랐다.

<바다로 가는 마지막 비상구>

은영은 요즘 부쩍 잦아진 선균의 전화며 문자가 부담스럽기만
하다. 해주가 간 지 벌써 2주기다. 얼마전 은영이 해주의 납골묘
를 찾았을 때 그곳에 선균이 서 있었다. 둘은 서로 말을 하지
않았지만 이심전심 일찍 떠나간 해주를 그리워했다.
그렇게 돌아오는 길은 선균의 차를 빌어탔고 집앞에 내릴때 선
균이 가만 등을 두드리며 '잘 자'라는 말을 할 때는 뭉클하기까
지 하였다.

선균과 해주는 대학 3학년때 교내에서 만나서 연애를 시작해 7
년을 끌다 결혼 날짜를 잡은 터였다. 신부 부케는 은영이 받는
걸로 결정났고 그렇게 결혼이 카운트다운에 들어간 어느날 갑자
기 한밤중에 선균으로부터 해주가 응급실에 실려 갔다는 다급한
전화를 은영은 받았다.
잠도 덜깬 채로 택시를 잡아타고 해주가 있는 s대학 병원 응급
실에 들어선 은영의 눈에는 이미 고인이 된 해주의 위로 시트
를 끌어올리는 간호사의 모습이 선명히 들어왔다. 갑작스런 심
장발작에 의한 사망으로 추정된다고 하였다.

그렇게 약혼녀를 졸지에 잃어버린 선균은 페인이 돼다시피 방황하였고 회사라도 다니지 않았더라면 완전히 명줄을 놓아버릴 정도로 피폐해갔다.

"난 이제 다른 여자 못만난다"

대학때 해주와 붙어다닌 은영이어서 선균은 은영과도 스스럼 없는 사이였다... 그런 그녀 앞에서 선균은 엉엉 소리 내어 울기까지 하였다.

"둘이 붓던 적금 오늘 깼다"며 그가 젖은 눈으로 호프집의 천장을 멀뚱하니 바라본다.

그런 그의 손을 은영이 가만히 잡아준다.

"정신줄 놓지 마. 마음 단단하게 먹어"라고 해보지만 선균은 고개를 절레절레 저었다.

그리고는 요즘 들어 부쩍 자주 은영에게 연락을 해오고 있다 .

처음 몇번은 최대한 선균의 입장이 돼서 이해해주려 노력하고 부르면 나가기도 하였지만 이미 가버린 해주를 자기가 되돌려놓을 수도 없다보니 그런 선균이 조금은 피곤하게 여겨졌다.

그러다 언제부턴가 은영은 그의 연락을 아예 받지 않기로 하였다. 차단까지는 못해도 문자 답문을 한다거나 전화나 콜백을 한다든가 하는 건 피하기로 하였다.

그렇게 한동안 그녀가 냉담하게 반응하자 선균도 연락을 자제하는 눈치더니 급기야 끊어져버렸다.
그리고는 1년이 흘렀다...

"나 결혼한다"라는 선균의 문자를 받은 건 은영이 편집을 마무리할 때쯤이었다. 그날따라 레이아웃이 잘 되질 않아 애를 먹는데 띠링 하고 문자 알람이 온 것이다.
결혼? 1년전까지 그토록 죽은 해주를 못잊어 애면글면하더니 결혼? 하자 왠지 은영 자신이 배신을 당한 거 같아 기분이 개운치가 않다. .하지만 이제 나이 서른에 혼자 살라고 할 수도 없는 것이어서 애써 "잘 생각했어. 축하해"라고 답문을 보낸다. 그러자 "지금 니 집 앞이야.. 좀 나올래?"라는 문자가 이어진다.

"나보다 한참 어려..근데 해주를 많이 닮았어"라는 그의 말에 은영은 걱정이 된다.
"해주 닮아서 결심한 거면 그 결혼 다시 생각해봐"라고 그녀가 말하자 "뭐면 어때. 해주라 생각하고 살면 되는 거지"라며 선균이 남은 술을 다 마셔버린다.
"그래서 니가 행복할까? 아니, 와이프는 행복할까?"라고 하자
"모르겠다 나도"라고 하더니 그가 "간다"라며 먼저 자리에서 일

어난다.

그렇게 선균의 뒤를 이어 은영도 호프집을 나서고 보니 눈이 내리고 있다.

"난 겨울이 싫다"며 선균이 비틀거린다...

아마도 해주가 간 계절이 겨울이어서겠지,하며 은영이 그를 부축한다.

둘이 잠을 깼을때는 창밖 눈은 이미 다 그친 상태였다.

처음엔 술 취한 선균을 혼자 보낼 수가 없어 근처 모텔로 향했지만 문제는 그 다음이었다. 취한 선균을 침대에 눕히고 돌아서는 은영의 팔을 선균이 강하게 끌어 당겼다. 그리고 둘은 몸을 섞었다...

마치 예정된 양, 그렇게 운명지어진 사람들인 양 그렇게 서로를 탐했고 파고 들었고 그렇게 해주를 배반해 버렸다.

"나 먼저 갈게. 좀 있다 나와"라며 은영이 주섬주섬 먼저 모텔방을 나가려 하자 "미안"이라며 선균이 작게 속삭이듯 말한다. 그 말에 은영이 발끈한다.

"미안? 같이 자놓고 미안?"이라고..그러면서도 자신이 왜 화를 내는지, 무엇때문에 그렇게 선균이 미운지 알 수가 없다. 그리고는 은영은 울며 그 방을 뛰쳐 나온다.

그렇게 겨울이 가고 봄바람이 불 즈음, 선균은 파혼을 했다는
연락을 해왔다.
그런 그의 짤막하지만 충격적인 문자를 보며 은영은 레이아웃하
던 손을 잠시 멈춘다. 그리고는 밖을 보자 꽃가루가 흩날리고
있다.
겨울은 갔어...
그날 그렇게 겨울은 끝난거야...
그리고는 서둘러 편집을 마치고 송고를 한 뒤 그녀는 선균에게
전화를 한다. 선균은 한참을 기다리게 하다 전화를 받는다. 왜?
"봄 왔는데 어디 안 갈래? 어디 바다라도 안 갈래? 운전, 번갈아
하자"라는 그녀의 말에 선균은 한참 침묵하더니 "동해면 될까?"
라고 대답한다.

분명 창은 완전히 닫혀있는데도 어느틈인가를 비집고 꽃가루가
은영의 방을 날아다닌다. 은영은 그것을 잡겠다고 허공에 휘휘
손을 내젓는다...

웅언의 사랑

2024년 2월 20일 발행

지은이 박순영
디자인 로맹
펴낸이 로맹
펴낸곳 로맹

출판등록 제 25100-2023-103호
주소 서울시 성북구 보국문로 30길 15

전자우편 jill99@daum.net
isbn 979-11-986265-0-9